だいわ文庫

60代にしておきたい17のこと

本田 健

大和書房

はじめに

60代という再出発のとき

「こんなはずじゃなかった」

60代を迎えて人生を振り返ったとき、あなたの頭に浮かぶのは、こんな言葉でしょうか。それとも、

「これまでの人生で、いまが最高の状態！」

と幸せいっぱいの気分で言えるでしょうか？　その人がこれまでをどう生きてきたかで、同じ60代でもまったく違った人生になります。

健康面では、トライアスロンを趣味にして、世界中飛びまわっているような人もいれば、病気で寝たきりの人もいるでしょう。

経済的な面では、悠々自適《ゆうゆうじてき》の人もいれば、年金がもらえるまで、どうやっ

て食いつないでいこうかと、心配している人もいると思います。

男女関係でいえば、一人で孤独を感じていたり、離婚寸前だという人がいる一方で、パートナーと、まわりもうらやむほどの仲のいい夫婦関係を築いている人もいるでしょう。

仕事面では、自分の大好きなことをやって評価されている人もいれば、人に誇れるような仕事は何もやっていないという人もいるかもしれません。

いま、あらためて自分の人生を見直すとき、どれくらい冷静でいられるでしょうか？　自分にイライラしていますか？　それとも、自分のことが好きで平安な気持ちでいられますか？

もしも、20歳のあなたがタイムマシンに乗って、いまのあなたを見にきたとしたら、何と言うでしょうか。想像してみてください。

20歳のあなたは、感動して、喜んでもとの時代に帰っていくでしょうか？

それとも、絶望して、うなだれて帰っていくでしょうか？

この本は、『20代にしておきたい17のこと』（大和書房刊）から始まり、10代から50代までの年代別に、「後悔しない生き方」を選択するための一つの指針になればと思って書きはじめたシリーズの6冊目になります。

たくさんの方たちに読んでいただいて、シリーズの累計部数は110万部を超えました。著者として、たいへん有難《ありがた》いことだと感謝しています。

本書『60代にしておきたい17のこと』は、たくさんの読者のご要望にお応えして書くことになりました。

これまでにも、それぞれの年代の方たちに数えきれないくらいのインタビューをさせていただきましたが、この「60代」は、それを上まわる勢いで、60代、70代、80代の方たちにお話をうかがいました。

「50代では気にならなかったのに、60代になったら気になりだしたことは何でしょうか」

この質問の答えに、「60代にしておきたいこと」が隠されていました。

これからをどう生きれば、充実した人生といえるのか。

そのヒントが、本書にたくさんちりばめられています。

この20年で時代は大きく変わりました。自分たちが若い頃の昭和の常識は、いまは通用しなくなったのです。

昔であれば、親が生きたように生き、親が死んだように死んでいけばよかったのですが、残念ながら、いまの時代ではそれではうまくいかないのです。

これからどんな時代になるのか。そのなかで、自分が何をやるのか、やらないのか。それが、あなたの人生の質を決めるでしょう。

60代は、微妙な年代です。もはや若いわけでもないが、老人というほどでもない。人によっては、まだまだ元気だし、何でもできそうな感じもしている。一方で、健康、お金、仕事などの面では先細りになりつつもある。

現状を見極めたうえで、あなたなりの答えを見つけてください。

60代をどう過ごすかで、あなたの人生はどういうものになるかが決まるでしょう。そういう意味では、経理でいうと、中間決算といえるのが60代です。この決算を赤字で通過するのか、黒字で通過するのかを見てみましょう。

本書が、あなたの人生を最高に輝かせるきっかけになれたら幸いです。

●60代にしておきたい17のこと●目次

1

20代にやりたかったことをやる

1

若い頃の夢を、もう一度取り戻す

あなたが20代の頃といえば、もう40年も前になります。当時を振り返ってみましょう。あなたは、情熱的で、熱かったのではないでしょうか。

20代のことを考えるとき、「社会を変えよう」という理想に燃えて、仲間たちと朝まで語り合った青春時代を思い出す人もいるかもしれません。「国家」「戦争」「連帯」など、いまでは考えられない言葉が日常生活で飛びかっていた頃です。

当時のニュース映像が時折流れますが、あの頃を一言で表すなら、「熱い時代だった」といえるのではないかと思います。

あの熱い情熱は、いまもあなたのなかに流れているでしょうか。

「いまの政治家ではダメだ」

「国の状況はどんどん悪くなっている」

そう思っていたとしても、それを熱く語る機会はほとんどなくなったかもしれません。まして、夜を徹《てっ》して国の未来や社会問題について語り合うということは、まずないでしょう。せいぜいテレビの討論番組を眺めて、ちょっと熱くなるぐらい。しかし、あの頃、20代のあなたが感じた情熱は、いまだに死んでいないのではないでしょうか。感じてみましょう。

それは心の奥の深いところで眠っていて、何か、きっかけさえあれば、その情熱が40年ぶりによみがえるかもしれません。

今日はひさしぶりに、あなたが20代の頃、まだ熱く理想に燃えていたときのことを思い出してください。

あの頃、熱中していたことは何ですか？

あるいは、あの頃はまわりのみんなが燃えていたのに、自分だけがちょっと引いていたという人もいるかもしれません。

やりたかったことで、やれないままになっていることはありませんか？

たとえば、バンドを組んでみたものの、中途半端でやめてしまったとか、ギターをやってみたかったけれど、恥ずかしくてタイミングを逃してしまったとか、いまにして思えば、「あのとき、やっておくんだったなあ」ということを思い出してください。

10代、20代のときにイケてた人は、すでにやっていたかもしれません。それをもう一度、やり直すのもいいでしょう。

当時、憧《あこが》れていたんだけど、やりきれなかったということがあるはずです。60歳になると還暦《かんれき》を迎えますが、「還暦」とは、「干支《えと》（十干十二支《じっかんじゅうにし》）が一巡し、起算点となった年の干支に戻ること」で、それで赤ちゃんに戻るというので、昔は、赤い頭巾《ずきん》を祝いに贈られたそうですが、いまは、60代は20代に戻ると考えるとちょうどいいでしょう。

20代の頃に、あなたのなかでやろうと思ってやれなかったことを、ぜひスタートしてください。

1

「いまさら」と考えるか、「いまこそ」と考えるか

「20代にやってみたかったことを、いまから始めよう」

とはいうものの、それを実行に移すのは難しいかもしれません。

「ピアノを始めたい」

「本格的にギターを習おう」

と意気込んでも、ヤマハ音楽教室の前まで行くと、「自分は場違いかな」とか「習っても自分だけが下手だったらどうしよう」などと考えて、躊躇《ちゅうちょ》してしまうのではないかと思います。

「まったくの初心者なのに、この年で何をいまさら……」

そんな心の声が聞こえてきそうです。

ことに教えてくれる先生が自分よりも若い場合には、その思いが強くなるかもしれません。60代になって、子どもも育ち、孫もいるかもしれないあなたが、その子どもや孫のような世代の人に、ものを習うのは抵抗があっても不思議ではありません。

でも、そこで「何をいまさら」と考えるか、「いまこそ」というふうに考えるかで、あなたの人生が変わってきます。

ピアノやギターを始めるといっても、これからプロになるというわけではないでしょう。

あなたにとって、これからの人生でいちばん大事なのは、いかに楽しむか、ということです。

うまくできるかどうかよりも、そのことを楽しめるかどうか。それを自分の中心においておくと、いままでとまったく違った人生になります。

1 一生、それをやらないまま終わっていいか

やりたいと思っていたことがあるなら、いまがラストチャンスです。

「この年で、そんなことはできない」と自分の夢に蓋《ふた》をすることは簡単ですが、でも、その蓋をいま閉じてしまっていたら、今回の人生でもう二度と開けることはできないかもしれません。

それを始めるのか、あきらめるのか、その一つの見極めとして、「それをやらずに死ねるか」と考えてください。

「死ぬまでに世界一周してみたい」

「バンドを組んでみたい」

「自分の絵の個展を開きたい」

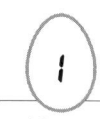

「本を一冊書いてみたい」

「自分のお店をもちたい」

いろんなことが出てくるでしょう。

その活動によってはお金がすごくかかったり、リスクがあるものもあるかもしれません。いまはそれを横において、「これをやらないうちは死ねない」と思うことがあるかどうかを、まずチェックしてみてください。

いきなり借金をしてお店を始めるというのは非現実的かもしれませんが、楽器を習ってみるとか、旅に出るというのであれば、そう難しくはないのではありませんか。

ホスピスで働いている医師の友人がいます。彼から聞いた話ですが、ガンの末期になると、やり残したと思うことの多くが、体力的に実現不可能だそうです。たとえば、最後に富士山に登りたかった、パリの美術館に行きたかったといっても、その体力が残っていません。

いざ、本当にやりたかったことをやろうと思っても、足が動かない、肺がそこまでもたないという感じで、物理的な制約がかかってくるのです。

もし、あなたがまだ健康だったとしたら、あるいは、そこまで具合が悪くないのであれば、人生最後に願うことの多くは実行可能です。

それが、たとえば１００メートルを10秒台で走りたいという突飛《とっぴ》なことでなければ、あなたには、それをやる体力は残っているはずです。

60代になったいま、自分が死の床についているところをイメージしてみてください。そして、そのときに後悔する可能性のあることを一つひとつ、考えていくのです。

そうやって60代から新しいことをスタートしたことで、充実した楽しい70代、80代を送っている人がたくさんいます。

いま体調が悪くても、あまりネガティブに考えなくてもいいかもしれません。「60代がいちばん具合悪かった」という80代の人もいます。

そういう年代なんだと思えば、気持ちもずいぶん変わってきます。そして、体調が悪いなりに、いまでもできそうなことを考えてください。

1

同じ年齢でも、生き方で見た目は全然違ってくる

60代は同じ年齢でも、人によって、まったく違う人生を生きる時代でもあります。

20代の頃はみんな共通して、お金がなく、時間もなく、あるのは夢と希望だけ。彼女や彼氏がいる人もいない人も、勉強や仕事ができる人も、そうでない人も、たいした差はありませんでした。

しかし、40年後の人生はどうでしょうか？

60代は同級生でも、40代、50代にしか見えない人もいれば、もう70代かと思うような人もいます。

「同窓会に行ったら、友だちがみんな『先生』に見えた」という人がいまし

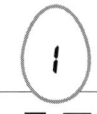

たが、それだけ、まわりが老《ふ》け込んでいたということです。

同じ60代でも、「若い」と感じる人と、もう人生は終わっているかのような印象を相手に与えてしまう人がいるのは、その人を取り巻くオーラに、人生の年輪《ねんりん》ともいうべきものが表れてしまうからです。

友だち同士は見た目も似ているということがあります。10代、20代のときに友だちと一緒に撮った写真を見ると、当時はそうとは気がつかなくても、いまになって、「なんとなく、みんな似ている」というふうに感じるのではないでしょうか。

けれども、いまはどうでしょうか。人生を楽しみながら生きてきた人と、人生をつらくて苦しいものだと思って生きてきた人とでは、年齢のとり方が違うことに気づくでしょう。

中学生のとき、仲のよかった親友同士が、40年後に再会したら、年の離れた兄弟に見えたというのは、笑えない事実です。

若く見えるのがいいということではありませんが、生き方で、見た目が全然違ってくるということをお伝えしたいのです。

20代、30代のときには、与えられたレールの上を、ただ突き進むだけでよかったかもしれません。

40代、50代では、その道を変えたいと思っても、教育、仕事、お金、介護などで、ただ慌《あわ》ただしく過ぎていったという人も多いでしょう。

でも、いまはどうでしょうか。「まだまだ好きなことなんかできない」という人は多いかもしれませんが、本当にそうでしょうか。

しばらく前に比べれば、しがらみや、やらなければいけないことがずいぶん少なくなったはずです。

あなたは、これからの人生をどう生きたいですか？

このまま、だんだん老人になっていき、死を待つだけの存在になるのか、ここから面白い人生を生きていくのか。

それを決めることが、60代にしておきたい、いちばん最初のことです。

2

友だちと出会い直す

2 音信不通の友だちに連絡をする

あなたは「友人」というと、どんな人たちの顔が浮かびますか？

そのなかで、日常的に連絡をとっている人は何人くらいいるでしょうか？

あらためて考えてみると、友人たちとは、ここ何年、ひょっとすると何十年も年賀状のやりとりだけになっている人も多いかもしれません。

なかには、連絡先さえわからなくなっている友人もいるでしょう。

子どもの頃や青春時代の友人たち、結婚したあとに、子どもがまだ小さかった頃に家族ぐるみでつき合っていた友人たち、一時は家族同然か、それ以上の関係だった人たちは、いま、どうしているでしょうか。

60代にしておきたいことの二つめは、その友人たちを探して、もう一度出会い直すことです。

「どう探していいかわからない」

10年前なら音信不通の友人を探すのは、難しかったかもしれません。

でも、いまはインターネットの普及《ふきゅう》で、探そうと思えば、思ったよりも簡単に見つかります。

たとえば、「フェイスブック（facebook）」で探すという方法があります。

フェイスブックは、世界最大のソーシャル・ネットワーキングサービス（SNS）サイトで、ハーバード大学の学生だったマーク・ザッカーバーグが創設しました。その経緯は、映画『ソーシャル・ネットワーク』として日本でも公開されましたから、ご覧になった方も多いかもしれません。

もともとは、ハーバード大学の学生が交流を図るためのサイトで、その利用は大学のメールアドレスを所有する大学生のみに限られていました。

フェイスブックは、自分の名刺やホームページをつくるような感覚で利用している人が多いようですが、そこには「出身校」を入力できる項目があり、同窓生を見つけやすくなっています。

利用率は東京だけで見ると、およそ30パーセント、3～4人に一人は利用していることになります。

まだまだ数は少ないものの、あなたと同世代の人たちや、もっと上の70代、80代の人でも、「ハマっている」という人は案外多いようです。

そんなインターネットに頼らなくても、昔の同窓会名簿から、何本か電話するだけで、音信不通の友人とつながるかもしれません。

もし、そういう気分になってきたら、いまから時間をとって、小学校時代から親しかった人たちの名前をリストアップしてみましょう。そして、彼らとどういうつき合いがあったのかを思い出し、どの人にいちばん会いたいか考えてみましょう。どの友人と過ごしたときが楽しかったのか、当時の自分の人生も思い出してみてください。

友人は、いままでは、それほど意識してこなかったかもしれませんが、あなたの人生をサポートしたり、楽しくしてくれる存在です。

2 60代から友だちが不可欠なわけ

なぜ60代のいまになって音信不通の友人に連絡するかといえば、昔の同世代の友人は、あなたの過去をよく知っているからです。

あなたがどういう小学校に通ったのか、中学生のときのあだ名は何だったのか、どんなキャラクターだったのか、同じ学校に通った仲間であれば、あなたのことを、あなた以上に覚えている可能性が大です。

当たり前ですが、あなたのパートナーや子どもですら、そういうあなたの過去を知りません。あなた自身も覚えていないかもしれません。

そういう昔話をしていくうちに、楽しかったことをきっと思い出します。

その情報は、あなたがこれからの人生を生きていくうえで、とても大切です。だからこそ、昔の友人と出会い直す必要があるといってもいいでしょう。

40代、50代の頃は、同窓会に出ても競争意識が働いて、表面的には和《なご》やかに語り合いながら、内心は、どれだけ出世したとか、どっちの会社のほうがいいとか、社会的にどっちがどうだとか、お金をどれだけ稼《かせ》いでいるとか、ということを探り合うようなところがあります。

でも、還暦も過ぎると、また違う力学が働いて、昔の友人は、同じ時代を生き抜いた戦友のような気持ちになるようです。

そんな友人たちと出会い直すことで、自分でも忘れているような小さな、それでいて大切な思い出がよみがえったりするものです。

60代は、人生の重荷が少なくなって、もっとも楽しめる年代です。30代や40代の重圧もなく、自分のことに時間もエネルギーもかけられます。

その時間を楽しく使うためには、気のおけない友人の存在が不可欠です。

一緒にバーベキューをやったり、旅行にいったりする仲間、そういう人がいるのといないのとでは、人生の楽しさが全然違ってきます。

2 友人と気のおけない関係を築く

あなたには、電話一本、メール一本で駆けつけてくれる仲間が何人いるでしょうか。

逆から見ると、あなたが電話一本で呼ばれていくような仲間、と言い換えてもいいかもしれません。

「友人に連絡するのは用事のあるときだけ」という人がいます。

ずっと会っていなくても、会えばすぐに昔の友人同士になれる――「それが友だちというものだ」と思っている人もいるでしょう。

たしかに、それはそのとおりで、たとえ何十年ぶりに会ったとしても、子どもの頃のあだ名で呼び合えば、その場でタイムスリップするかのように、昔に戻れます。

しかし、それゆえに、といってもいいかもしれませんが、ふだん友情を育てることに手を抜いてはいないでしょうか。

最近では孤独死が問題になっています。

結婚して子どもや孫がいる人でも、この先もずっと家族と一緒に暮らしていくとは限りません。

自分よりも先に逝《い》くはずがないと思っていたパートナーや子どもが、先に逝くという悲しい番狂わせが絶対に起きないとはいえないのが人生です。

「遠くの親戚より近くの他人」のことわざどおり、これからの人生で、あなたを孤独死から救ってくれるのは、友人かもしれません。

ビジネス上の相手への気遣いは忘れない人でも、自分の友人に対しては、あまり気遣いをしない人がいます。でも、部屋のすみの小さな観葉植物でさえ、何週間も放っておいたら枯れてしまいます。

50代まではお互いに忙しいので、それで済んだかもしれませんが、60代になったら、意識的に友情を育てる努力をしましょう。

気を遣うといっても、たとえば、友人の誕生日にはお祝いをするというような、ちょっとしたことでいいのです。

そんな小さな関わり合いが、いざというときの絆《きずな》を結んでくれます。

人生にはまだまだ迷うことも、たくさんあるでしょう。離婚や退職、会社をたたむというような一大事が起きたときに、いつでも相談できる友人をぜひもってください。

「友情は喜びを二倍にし、悲しみを半分にする」というのはドイツの詩人、シラーの言葉ですが、まさにそのとおりだと思います。

60代は、ほかの年代より、時間がたっぷりできます。それは、友人たちも同じです。しかし、面倒くさがりになっているかもしれません。あなたの呼びかけによって、復活する友情はきっとあります。

最初は、気恥ずかしいかもしれませんが、ぜひ声をかけてください。実際に会ってみると、実は相手も同じ気持ちだったということがあるでしょう。

2 友だちを年齢制限しない

友だちというと同世代の人たちをイメージするかもしれませんが、これからは年齢の離れた友人もたくさんもつようにしてください。

70代以上で若く見える人には、一つの共通点があります。それは、30歳以上若い友だちがいることです。

60代のあなたなら20代、30代の友人をもちましょう。

自分の子どもと同じ世代、あるいはそれより下の友人をもつと、それだけでも気分が若返ります。

そして、上の世代の人たちとも友だちになりましょう。

80代、90代の人たちと友だちになると、自分のこれからの行く末がイメージしやすくなります。

仕事関係では、上の世代とも下の世代ともつき合ってきたという人は多いかもしれませんが、仕事でつき合うのと、友だちとしてつき合うのとでは、つき合い方が違います。

仕事のうえでは好意的につき合ってくれた相手でも、友だちとしてつき合ってくれるかといえば、そこはあなたの感性と努力次第です。

まず、自分のなかの「年齢制限」を取り外しましょう。

「20代の人は経験が浅い」
「80代の人は話がくどい」

そんな先入観があるとしたら、まずそれを捨ててください。

友だちには、上も下もありません。

仕事では経験が浅い20代でも、別の分野では、あなたよりもずっと広い知識をもっているので、あなたにとっては大きな刺激になります。

どんな世代とも、対等につき合ってみましょう。

「対等につき合う」というのは、タメ口で話すことを意味しません。

お互いがお互いを尊敬している、というのが、対等につき合うということだと私は思います。

たとえば、20代の友人ができると、自動的にあなたの20代のことをたくさん思い出します。そのときの自分と重ね合わせることで、たくさんの幸せな思い出があったことを再確認できるでしょう。

あなたにとって当たり前のことが、20代の友人には驚きだったりします。あるいは、世間話をしているつもりなのに、ちょっとした一言が相手にとっては人生を変える衝撃《しょうげき》になったりします。逆のこともあるでしょう。

年齢の離れた友人の感性や知識に触れることで、あなたの感性や知識も磨かれていきます。相手にとっても、あなたは素敵な存在になるはずです。

彼らとの友情は、純粋に楽しむことができます。なぜなら、男女の駆け引きや利害関係とはまったく違うところで存在するからです。

3

「もういいか」を手放す

3 「もういいか」と思ったところで人生は終わる

60代になったあなたは、いろいろな場面で「あきらめる」ことが多くなったのではないでしょうか。

たとえば、「山登りをしてみよう」と思っても、自分の体力を考えて、「無理なんじゃないか」とあきらめる。

「海外旅行にいこう」と思っても、「お金がかかるな」とあきらめる。

何か新しいことを「始めよう」と思っても、「頭がついていかないんじゃないかな」とあきらめる。

男女を問わず誰か素敵な人がいて、「声をかけよう」と思っても、「変に思われたらどうしよう」と考えて、やっぱり、あきらめる。

そうして、せっかく思いついた楽しいことやドキドキすることに、ことごとく「ＮＯ」と反射的に答えてしまうのが、60代の悲しさです。

心のなかでは、「ちょっとやってみようかな」「ちょっと行ってみようかな」と思っても、いろいろ考えていくうちに、「別にいいか」「もういいか」とあきらめてしまうわけです。

決して、老け込んでいるつもりがなくても、結果的にそんな生き方になっているのです。

あなたの日常生活のなかで、「もういいか」は、いくつあるでしょうか？「仕事を休むぐらいなら」「お金がかかるなら」「面倒そうだから」……「もういいか」と思った時点で、あなたの人生は下り坂に入っていきます。

適度にあきらめることも大事ですが、60代ではまだそれは早すぎます。

「もういいか」と思ったときが、あなたの人生のターニングポイントです。

「もういいか」と、こんど思ったときは、「まだまだ」と自分に言ってください。

3 人生の潮時《しおどき》をどう見るか

潮時という言葉があります。

上げ潮では海面が上がり、それが満潮のときを迎えると、そこから海面が下がっていく引き潮に変わります。その上げ潮から引き潮に変わる一瞬が「潮時」です。

上り調子のときには、次に下がることがわかっていても、なかなか、そこでやめることができません。結果、引き際を見誤って損をします。

その意味では、人生の潮時を考えておくのは、大事でしょう。

「そろそろ、このあたりで仕事を辞めよう」

「そろそろ、このあたりで第一線から退《しりぞ》こう」

と思うタイミングは、どんな人にも訪れるものです。

その潮時は、職業によって大きく違います。たとえば、スポーツ選手などは、30代でそれが来るかもしれません。デスクワークの人たちは60歳から65歳ぐらいが中心になるのではないでしょうか。

しかし、生涯現役でやっている人にとっての人生の潮時は、亡くなる1日前、あるいは数時間前になります。

有名なアーティストや企業家の人たちは、死の直前まで自分の大好きな活動をやっています。自分の年齢に制限をかけることなく、新しい作品やビジネスの構想を考えている人は、幸せに年をとります。

「いまが潮時だ」と60代で考えると、そこから老境《ろうきょう》に向かいます。

大企業の会長や政治家などが、いつまでたっても、後進に道を譲《ゆず》らないというのは問題ですが、自分にとっての潮時をどう見るのかは、美学でもあります。

たとえば、経営者としての一線は退いても、また次のフェーズがあります。人生全体で見ると、変化しつつも、その人なりの生き方が貫《つらぬ》かれている、そんな人生を送ることもできます。

「もう退職したから」「仕事を辞めたから」という理由で老け込んでいたら、あまりにももったいなさすぎます。

これまで、あなたがやってきた仕事で得たスキルや経験は、きっと誰かの役に立ちます。フルタイムでなくても、あなたのことを必要としている人は、きっとまわりにいるでしょう。

そういう視点で考えれば、あなたの潮時は、まだ来ていないのかもしれません。自分にもまだできそうなことを考えてみてください。

「一生働くことがいい」と言っているのではありません。

あなたが、誰かに貢献《こうけん》しながら、一生充実した生活を送るために、このコンセプトを理解するのは、大切なことなのです。

3 迷ったら、とにかくやってみる

あなたが何かやろうと思ったとき、時間や体力、お金のことで迷うことは多いのではないでしょうか。

これまで、映画や飲み会に誘われても、忙しかったり、疲れていたり、余裕がなかったりして、「行けない」と断っていることはないでしょうか。

現役時代に、たとえば社会人の大学に通いたいと思っても、仕事との両立は無理だと思ったり、授業についていけないと不安になったり、学費が高すぎると思って、結局はあきらめてしまったことがあるでしょう。

でも、60代は「自分にはちょっときついかな」と思うことをやってみる、もしくは、行ってみることで、人生が変わってきます。

あるビタミン剤のテレビＣＭで、舞踏会《ぶとうかい》に連れていってくれる魔法使いが現れたのに、シンデレラが「疲れているんで」と言って断る、というパロディがあります。

ＣＭの最後に、「疲れてる場合ですか」というテロップが流れますが、60代の人の生活を神様が見ていたら、まさに、そのものだと言われるかもしれません。

あなたは、人生を開く幸運の女神が来たとき、「お金がないんで……」「60代なんで……」と言うのでしょうか？

これからの人生を楽しく生き抜く秘訣《ひけつ》は、「迷ったら、とにかくやってみる」ことです。それが失敗に終わっても、面白い思い出が増えるだけです。

60代の合い言葉は「面白そう」とするのは、どうでしょうか。

何かあったときに、「それよさそう」「面白そう」「やってみたいな」というふうに思うと、あなたの心はどんどん若返ります。これまでに「60代だから」やめたことを、「60代だから」やってみてください。

3 老後の生活に入るには早すぎる

還暦を過ぎて、赤いチャンチャンコなんかを着せられると、急に老人のような気分になってしまう人がいます。

けれども、70代、80代から見たら、「60代はまだまだ若い」。「老人」のカテゴリーに入るには、あまりにも早すぎるのではないでしょうか。

人生80年の時代です。１００歳になっても現役で活躍《かつやく》している人も少なくありません。

あなたが40代のときには、60代はまさに老境への入り口と思っていたでしょう。けれども、いざ、その年齢になってみると、自分だけはまだ、50代前半の感じがしている人がほとんどではないでしょうか。

60代の前半であれば、50代の頃はもちろん、40代の頃とあまり変わらないと思っているかもしれません。

実際、いまは実年齢よりも10歳若いとよくいわれます。

「自分はもう60歳を過ぎたから」といって老け込むのは、自分に対して「もうおまえは老人だ」と言っているようなものです。

60代になると、たとえば、海水浴にいこうと誘われても、「いや、もういいよ」などと言ってしまいます。

本当はパラグライダーやスキューバダイビング、登山をやりたいと思っているのに、子どもや孫に「危ないからダメだ」と反対されると、「たしかにそうだなぁ。もういいか」という気になります。

いつのまにか、「もういいか」「もういいよ」が口ぐせになってしまうのです。「もういいか」は絶対に言わないと決める。それだけで60代からの人生が広がっていきます。

3 暴走老人にならないように気をつける

老け込まないことばかりお話ししてきましたが、年相応に生きることも少しだけつけ加えておきましょう。

最近、駅員に暴行を働いたり、万引きしたりする60代が増えています。また、無謀《むぼう》な登山をして遭難《そうなん》したり、露天風呂で騒《さわ》いで警察沙汰《ざた》になったりするのも、若者ではなく60代が多いようです。彼らは、自分が老いていくという現実を拒絶して、なんとか若くいようとしています。昔の反権力魂が、いまになってうずくのでしょうか。

しかし、60代になって、まわりに迷惑をかけるだけでは、あまりにも痛々しすぎます。自分の年齢を考えて、ぜひ年相応の分別《ふんべつ》はもちたいものです。

4

パートナーと白黒つける

4 結婚生活を振り返る

60代に入ると、人生でいろんなものに決着をつけたくなります。そのなかでも、大きなものは「仕事」と「結婚生活」ではないでしょうか。

これまで何十年かやってきた仕事も、どのタイミングで辞めるのかということを考える人が多くなります。

会社の都合で退職することもあるでしょうし、自分で幕引きをすることもあるでしょう。いったんは定年で仕事を辞めた人も、また嘱託《しょくたく》のようなかたちで働きつづけている人も多いと思います。それをいつ辞めるのかを見極めるのは、大切です。

同じように結婚生活も、60代に入って、一度ひと区切りつけたいと考える人は思ったより多いようです。

夫と妻という関係で、何十年か共に暮らし、一つの家庭を築いてきたわけです。子どもたちが独立し、落ち着いたいま、結婚生活について振り返るのは、これからの人生をどう生きるかを考えるうえで大切なポイントです。

「これ以上は、もうたくさんだ」と思う人もいれば、「どんどんよくなる、なんてすばらしいんだ」と思う人もいるでしょう。

お互いのパートナーシップをすばらしいと思えた人は、そのことをここで確認し合ってください。

「この関係をそろそろ終わりにしてもいいかも」と気づいてしまった場合は、次の課題が待っています。

いまの結婚生活をどうするのか。

結婚生活は、仕事と違って、よほどのことがなければ死ぬまで続きます。もうたくさんだと思いながらも、結婚生活を続けていく選択もあります。ちょっと怖いですが、これをテーマに見ていきましょう。

4 この人と一緒のお墓に入りたいかを考える

結婚生活を見直すときの一つの基準は、「この人と一緒のお墓に入りたいか」ということでしょう。

それを考えただけで憂うつになるという人もいれば、そうなることで夫婦としての人生をまっとうできるような感覚をもつ人もいるでしょう。

夫と妻では、まったく意見が違うかもしれません。

インタビューして聞いてまわった印象でいえば、夫のほうでは、それに対して、あまり違和感がありません。むしろ、当たり前のことすぎて、考えたこともないという人がほとんどでした。

ところが、妻のほうでは、それに抵抗感をもっている人が多いようでした。

日本の婚姻制度では、結婚したら夫婦どちらかの姓に統一しなければなりません。慣習として、夫の姓をとる場合が多いため、「○○家代々の墓」に入るとすれば、妻は夫の家のお墓に入ることになるわけです。

「死んでからも舅《しゅうと》や姑《しゅうとめ》に気を遣いたくない」というのが奥さんたちの本音のようです。

このことは、気軽に聞くには、あまりにも危険なトピックです。

特に男性は、自分の夫婦関係はうまくいっていると過信しがちです。くれぐれも、世間話の延長で、この話題を出さないようにしてください（笑）。

最近では、夫婦二人の墓を新たに建てるという人も増えているようです。「永代供養墓《えいたいくようぼ》」といって、お墓参りしてくれる人がいなくても、永代に渡って、お寺が供養と管理をしてくれるお墓がありますが、生前のうちから、そうした手配をしているご夫婦もいました。

夫婦関係に白黒つけるのと同時に、この先も一緒に夫婦を続けていくなら、お墓をどうするかについて話しておくのも、いい機会かもしれません。

4 60代が離婚を選択するとき

60代の離婚には、40代、50代と違う力学が働きます。

試しに、「離婚したい」とまわりに言ってみてください。

30代、40代になった子どもから「いい加減にしてくれ」とあきれられるか、迷惑そうな顔をされるはずです。

まわりの友人、知人からは、「我慢したら」と諭《さと》されたり、「大人になれ」と叱られるかもしれません。ほぼ全員が、現状維持こそ得策と説得にかかるのではないでしょうか。

当の本人たちにしても、いざ離婚となると家はどうするのか、生活はどうしていくのかなど、具体的な問題が出てきます。

30年近く、あるいはそれ以上の年月を一緒に暮らしてきた生活を、別にするというのは、離婚でなくても大変です。

結局は、「いまさら、そんな面倒を起こすこともない」となって、昨日から今日、今日から明日へと、ぬるま湯のパートナーシップから出られないまま、おじいちゃん、おばあちゃんになっていくのかもしれません。

それでも、統計によると、60代で離婚する人は、年々増えているようです。２００７年から年金の分割受給制度が実施されたことと関係しているのかもしれません。

私の身近にも、子どもが生まれたので両親に育児を助けてもらおうとしたら、母親から、「お母さんは離婚することにしたから、それどころじゃない」と言われたという友人がいました。

昔なら、60歳を過ぎたら、仕事も辞めて、孫のお守《も》りをするというのが、「普通の流れ」だったかもしれません。あなたの両親の世代は、まさにそうだったのではないでしょうか。

けれども、60代の人生は、まだまだこれからです。平均寿命まで生きるとしたら、女性であれば20年以上の時間が残されているわけです。

そして、60代で離婚して幸せになれる人は、いまから第二の人生を始めようと思える人です。別の言い方をすれば、このまま、刺激も何もない人生にNOと言える人は、たとえ離婚でリスクを抱えることになっても、自分の幸せをつかめます。

そうではなく、いまのパートナーが嫌だと思って、あるいはパートナーから嫌だと言われて、消去法で離婚を選択してしまった人は、あとで離婚しなければよかったと後悔する人が多いようです。

一般的にいって、離婚して元気になるのは女性です。

「うちの女房に限って」と思っている男性は、突然、妻から離婚届けを手渡されたりしないように、日頃から注意しておきましょう。

最近、なんとなく静かになった、思い詰めている表情が多くなった。そういう症状がある場合は、相当ヤバいと思ったほうがいいでしょう。

4 これからの人生を誰と歩むか

60代はまだまだ壮年期《そうねんき》です。おじいちゃん、おばあちゃんと呼び合うには若すぎます。これから先、20年以上あることを考えると、まだ誰かと人生をやり直すことも可能です。

私のまわりでも、70代で再婚している人たちが何人もいます。いま、そんな想像はできないかもしれませんが、パートナーと死別することもあるのです。10年後、いまと違うパートナーと一緒になっている可能性もゼロではありません。

あなたは残りの人生を誰と過ごすのか――これを見極めてください。

私はなにも離婚を推奨《すいしょう》しているのではありません。むしろ、一時的な感情で離婚してしまうようなことは危ないと考えています。

40代、50代で、栄養を与えなかったパートナーシップは、木と一緒で、60代には腐りはじめます。そのまま腐りきって、あるところで土台がドンと転げてしまうこともあります。

それを避けるには、もう一度、スタートラインに立つことです。

そのときに、あなたの横にいてほしい人は誰でしょうか。

これからの人生は「いまさら」ではなく「いまこそ」と考えていくことだと、前に話しましたが、結婚生活を見直すうえでも、それは当てはまります。

夫婦の関係は、よくも悪くも、いまさらどうにもならないと感じている人は多いかもしれませんが、いま見直すことで、より強くて楽しいパートナーシップを組んでいけます。

40代、50代とは違った深さを体験できるのが、60代の夫婦関係です。リスクを冒《おか》して、二人の絆を深めましょう。

5

仕事に
しがみつかない

5 前の会社の名刺をもち歩かない

　長年、会社勤めをしていた人が退職して寂しいと思うことの一つに、「会社の名刺を使えない」ということがあるようです。

　現役時代は、名刺を出すだけで、自分がどういう仕事をしていて、どれくらい偉いかをすぐに示すことができました。

　けれど、退職してしまったら、身分を証明できるのは、運転免許証だけということになります。かといって、自分で「大きな会社の部長でした」と言うのも、かっこ悪いというわけです。

　いまは学生でも名刺をもつ人は少なくありません。ビジネス用とは別に、プライベートの名刺をもつ人もいます。

会社の名刺がなくなっても、自分でいくらでもつくることはできます。印刷業者に頼むことも可能ですし、もっと簡単に、パソコンでつくるという人もいるでしょう。

ただし、そのときに、肩書きをどうしたらいいか悩むのが、会社の名刺で生きてきた人の共通点です。

ときどきパーティなどでお会いする60代の方から、「元○○会社課長」というような、前の会社の肩書きが入った名刺を渡されることがあります。

名刺は、自分を相手に知ってもらうために渡すものですから、その情報として、どういう会社に勤めていたかということがわかるのは、手っ取り早い表現だといえるでしょう。

けれども、その名刺をもらったほうは、もとの会社が大きければ大きいほど、あるいは役職が高ければ高いほど、気持ちは複雑です。

「偉かった自分のことを褒《ほ》めてもらいたいんだな」

「昔は偉かったことをアピールしたいんだな」

というふうに、見るからです。

「課長だった自分」「部長だった自分」「役員だった自分」にしがみついている痛々しい老人の印象を与えてしまうのです。

しがみついているからこそ、そんな名刺を渡してしまうのではないでしょうか。実際には、前の会社の名刺をもち歩いていなくても、心のなかでもち歩いている人もいます。

会社を辞めてだいぶたつのに、「俺を誰だと思っているんだ。○○会社の部長だぞ」と口走って、奥さんに離婚された人がいます。

奥さんに言わせれば、「それがどうした」と言いたいところでしょう。あるいは、「もうそんなことは聞き飽《あ》きた！」ということかもしれません。

自分のやってきた仕事に誇りをもっているのは、すばらしいことです。けれども、「あのとき課長だった」「部長だった」ということに、しがみついているのでは、あまりに寂しい生き方です。

少なくとも、あなたから、前の会社の名刺を受け取った相手は、あなたに尊敬の念をもつどころか、「こうはなりたくない」と思いながら、その名刺を見ることになるでしょう。

前の会社を辞めたとしたら、そこでスパッとアイデンティティを切り替えましょう。

ただし、名刺の裏面に、こういう会社でこんなことをやってきたという情報をのせるのは、決して悪いことではありません。それは、あなたの人生の履歴書《りれきしょ》のようなものだからです。名刺がきっかけとなって、同じような業界にいたことがわかって、意気投合することだってあるでしょう。

自分がやってきたことを自慢のネタにせず、「もう過去の話です」というぐらいに話せると、余裕のある人物に見えます。

また、若い人には、自分の失敗談を面白おかしく話せるぐらいになると、あなたは尊敬のまなざしで見られることになるでしょう。

5 仕事がなくなったら何をするか

60代は、いままでの仕事との関係を大きく変えるタイミングです。

会社勤めの人は、会社の規則で定年退職する人もいるでしょう。自営業の人も、自分で引退を決める時期かもしれません。仕事がなくなったら、人は何をするのか、というのは非常に面白いテーマです。

退職後の生活を上手に乗りきれる人と、苦しむ人がいます。

忙しいときには、「ああ、ゆっくりできたら、どんなにいいだろう」と思っても、いざ仕事がなくなると、何をしていいかわからない、という人は少なくありません。

特に、いまの60代は、大勢のなかで競い合うことで生き残ってきた人たちです。「ゆとり世代」とは対極にあって、頑張ることこそ生きる証《あかし》だと思っているかもしれません。

そんな人たちにとっては、仕事がなくなることが苦しみになります。忙しいときは風邪もひかなかった人が病気がちになったり、ふさぎ込んで、うつになったりします。

仕事に必要以上に意味を見いだそうとすると、苦しくなります。なぜなら、仕事は、活動の一つであって、それ以上のものではないからです。

あなたにとって仕事とは何でしょうか。

苦しみでしょうか。楽しみでしょうか。

仕事に楽しみを見つけられる人は、仕事を辞めても、自分の楽しいことがわかっているために、落ち込むことがありません。

自分が仕事にどういう意味を見いだしているのか、ということを見ておきましょう。

5

「死ぬまで現役」は幸福か

作家で実業家の邱永漢《きゅうえいかん》さんの著書に『死ぬまで現役』という本があります。「お金の神様」といわれた邱永漢さんは、私の憧れの人でした。

亡くなる前に、一度食事をご馳走《ちそう》になったことがあり、その気さくな人柄に触れました。そのとき、邱さんはすでに80代でしたが、世界中を飛びまわって、当時30代の私よりとてもハードなスケジュールをこなしていました。

『死ぬまで現役』は、その邱さんが60代のときに書かれたものですが、そのままの生き方をされていました。そのなかに、次のような一節があります。

「若い時は、あんなこともやりたい、こんなこともやりたい、と夢がふくらんだが、一つ年をとる度に一つずつ可能性を失い、あれもやれなかった、これもやれなかったと、夢が一つずつ凋《しぼ》んで行く。

　こうなったら、夢をふくらませるより、夢が凋まないように、ブレーキをかけながら下り坂を下りるよりほかない。そのためには、今までやっていたことを途中で突然、やめるよりは、『死ぬまで現役』で押し通すほうがよい」

（邱永漢『死ぬまで現役』実業之日本社／ＰＨＰ文庫刊）

　活動的でありながら堅実な邱さんらしい教えだと思いますが、死ぬまでいまの仕事を続けるとしたら、あなたは、どんな気持ちになるでしょうか？

「最高だ！　これからも頑張ろう」という言葉が浮かんだ人は、幸せな仕事をやっている人です。嫌いな仕事をしている人は、まるで終身刑を言い渡されたような気持ちになるものです。

　あなたにとって仕事は、死ぬまでやってもいいぐらい楽しいことでしょうか。それとも、死ぬまでやるぐらいだったら、もう早く死んでしまいたいと思うような仕事でしょうか。

5 「自分は誰か」で勝負する

60代は、いままでの肩書きや仕事から離れて、生身のあなた自身で勝負するときです。そんなふうにいうと、仕事人間は、一種の気恥ずかしさのようなものを感じるかもしれません。

20代、30代であれば、組織をバックにつけて活躍することもできました。しかし、60代では、あなたの社会的地位ではなく、あなたがどういう人物かで評価されます。

趣味の会に行ったとしても、「元○○会社の部長」という昔の肩書きを振りまわす人は嫌われます。

そうではなく、その仕事によって得られた知識や人脈をフルに生かして人生を楽しんでいる人は、まわりからも好かれる可能性が高いでしょう。

そう、昔の名刺など必要ないのです。昔の名刺で勝負しようとする人は、相手のことも肩書きでしか判断できません。そして、それによって態度まで変えてしまいます。

それでは、まるでトランプの代わりに、名刺でポーカーをするようなものです。課長の名刺は部長に負け、部長は社長に、社長は会長に負けるのです。60代を機に、自分の人間性を磨き、相手の人間性を肩書きなどではなく、そのままを見るようにしてみましょう。

油断していると、60代で人生が終わる人もいます。仕事すること自体は問題ありませんが、仕事にエネルギーを注《そそ》ぐあまり、自分にとっていちばん大切なものを見失わないようにしましょう。

仕事をしながらも、決して仕事にしがみつかない働き方を身につけてください。そして、いつか迎える人生のフィナーレを、どう迎えるのかということも考えておきましょう。

6

お金で
クヨクヨ悩まない

6 お金の心配は尽《つ》きない

「心配事というのは、いくつになってもなくならないものです。60代になったあなたは、そのことを実感しているのではないでしょうか。

20代、30代のときには、仕事のことや人間関係、恋愛で、夜も眠れないほど悩んだという人もいるでしょう。

年を経て、自分の状況が変わるごとに悩みの内容も変わってきます。いま60代になっていちばんの心配事といえば、「自分の老後」を挙《あ》げる人が多いようです。これが70代になると、「自分の健康」がいちばんになります。

60代で、自分の老後のどこを心配しているかといえば、「お金が続くかどうか」ではないでしょうか。

60代のいちばんの悩みは、定期的な収入源がなくなることでしょう。

この先、年金以外に収入がないということになれば、いまの貯金が減っていくだけです。それは、身の細るような寂しい感覚をともないます。

細々と食べていくことはできても、万が一病気にでもなったら、どうすればいいのか。国も子どももアテにできないいまは、心配するなというほうが無理な話です。

しかし、お金のことで心配しはじめると、毎日の心の平安を失います。

「お金がなくなったら、なくなったときに考えよう」というくらいに割りきることが大事ですが、なかなかそうはいかないでしょう。

お金の心配は、「お金がなくなったら困る」というところからやってきています。お金がなくなったら生活できなくなる、医療費が払えない、のたれ死ぬしかない、とマイナスの連想ゲームが頭を駆け巡るのです。

たとえお金がなくなったとしても、助けてくれる人がまわりにいれば、何の心配もいりません。そのあたりのことを見てみましょう。

6 お金がなくなったら、本当に困るのか？

あなたには、気軽に泊めてくれる友だちが何人いるでしょうか。

「お金を貸してくれ」と頼んだら断られるかもしれませんが、「遊びにいきたい」と言ったら、喜んで泊めてくれるという人なら、何人かの顔が思い浮かぶのではないでしょうか。１週間くらいなら、それほど悪い顔はされないかもしれません。

私は講演会やセミナーで、そういう友だちが52人いれば、１年間お金がなくても過ごせるという話をします。冗談のように思われるかもしれませんが、私が20歳でアメリカにいた１年間は、まさに、そんな生活をしました。

ある団体のボランティアで、日本人の学生がアメリカで平和についての講演をするという企画でしたが、講演場所もステイ先も、自分で見つけなければなりませんでした。費用も自腹です。いまにして思えばよくやったものだと思いますが、自分が講演するときには、最後に「今晩、誰か泊めてくれませんか！」とお願いして、知らない他人の家に転がり込みました。

1年間、そうやって見ず知らずの人に、養《やしな》ってもらったのです。

あなたも、たとえば、昔の友人たちに会いにいくとなったらどうでしょうか。行くところは案外多いと思えてくるのではありませんか。

「お金がなくなったら困る」というのは、そう決めつけているからです。

いまの20代、30代の人たちのあいだに、「ノマド・ライフ」「ノマド・ワーキング」という生き方、働き方が広がりつつあります。

「ノマド」とは遊牧民のことで、住む家や働く場所を一つに決めないというのが、彼らのやり方です。

そんなことで生きていけるのか、とあなたは思うかもしれませんが、そうして自分の人生を楽しんでいる人は少なくないし、これからは増えていくと私は思っています。

お金がなくても助け合っていける、助けてもらえる、と考えられれば、「お金の呪縛《じゅばく》」から逃れることができます。

実際に、東日本大震災では、被災地に一般の人たちからの善意がたくさん届けられました。あなたも、それをした一人かもしれません。震災から1年後に仙台で講演したことがありましたが、「地震後に誰かに食べ物をもらったことがある人は?」と聞くと、ほぼ全員が手を挙げていました。

ところで、最近は生活に困って老人が餓死《がし》していたという記事を、新聞などで目にすることがあります。心が痛みますが、その原因は、お金がなかったことはもちろんですが、助けを求めることができなかった、ということがいちばん大きいのではないでしょうか。

助けられる人がいたら、助ける。自分が助けてほしいときには、助けてとお願いする。そのことが大切なように思います。

6 60代からお金に苦労する人

60代にお金で苦労する人は、これまで何も考えずに生きてきた人です。定期的に入ってくる給料を使いきって、貯金することもなく、享楽的《きょうらくてき》に生きたキリギリスのような人が、60代になって困ることになります。

拙著《せっちょ》『50代にしておきたい17のこと』（大和書房刊）には、「お金の計算をしておく」という章がありました。

50代のうちに、お金で買えるもの、買えないものを認識して、お金とのつき合い方を見直すことが大切だということを書きましたが、それをしてこなかった人は、60代になって、お金のことで「こんなはずじゃなかった」という状況にあるかもしれません。

ここで、もう一度、自分とお金との関係を見ておきましょう。

いまは仕事があるという人も、それはいつまで続けられるでしょうか。

これから迎える70代、80代は、収入がない20年になるかもしれません。政府や子どもが頼りにならない時代です。20年をどう過ごすかが、あなたの人生が幸福かどうかを決めるといってもいいでしょう。

だとしたら、いまのお金を、どういうふうに使っていくのか。そのプランニングを、60代のうちに考えておく必要があります。

これからの人生で、自分がお金をかけたいものは何か、かけたくないものは何か。お金がかかるとすれば、いくら必要か。

それは、これからのライフスタイルにも、つながっていくでしょう。あなたがその気になりさえすれば、いまから人生を立て直すことは可能です。

現実的な計算も、いまからやっておくことです。自分が死ぬときにいくらもっていたいのか、残したいのか、それをいまのうちから考えておくのです。お金に苦労しない人生に、ギアチェンジしていきましょう。

6 才能をお金に換えて、稼ぐ道もある

お金の心配から解放されるもう一つの方法は、これから自分で新しいお金の流れを生み出すことです。

それがたとえ小さな金額だったとしても、自分でお金を生み出すことができれば、未来が明るい感じになります。手持ちの貯金が減るだけでなく、増えていくようになれば、楽しい気分になるかもしれません。

あなたがこれまでやってきたことで、得意なこと、人に喜ばれることがお金にならないかを考えてみましょう。

多くの場合、「こんなことがお金になるの？」とびっくりするようなことがお金になったりするものです。

これまでの仕事の経験を生かして、キャリアコンサルタントやマナー講師になることも、夢の話ではありません。育児経験がある人や保育士、教師だった人は、教育の現場に関わることもできるでしょう。

英語力や、海外生活での経験が、翻訳《ほんやく》などのちょっとしたアルバイトにつながることはよくあります。

趣味でつくったプラモデルやフィギュアを、驚くような値段で買い取りたいという人もいるかもしれません。

お金を楽しく生み出す方法を考えるのは、頭をシャープにすることにつながります。どういうサービスを提供すれば人は喜んでくれるのかを、真剣に考えてみましょう。

60代には、社会人になってからの四十数年間という人生の歴史があります。それをお金に換えることも、ぜひ考えてみてください。

それが上手にできれば、人の役に立つ喜びと、お金を得る楽しさの両方を手に入れることができます。

7

趣味をもつ

7 自分にしかわからないものを見つける

若いうちは能率的であることが大事でした。お金にならないもの、役に立たないことは価値がないと考えていた人も多いでしょう。

60代に入って、人生はそれだけではないことは、あなたがいちばんよく知っています。ほかの人には理解不能でも、あなたには心から楽しいということがあるはずです。それはボランティアだったり、趣味の活動だったりするかもしれません。

たとえば、世の中には、牛乳瓶《びん》の蓋を集めたり、お弁当の箸袋を集めたりする人がいます。切手やおもちゃのコレクターもいるでしょう。

他人にはガラクタにしか見えないものでも、本人にとっては、そのコレクションを眺めているだけで幸せなひとときを過ごせる、というものです。

幸せな人は、自分の好きなことを、とことん楽しんでいる人です。その楽しさが、他人に理解されようがされまいが、そんなことは関係ないのです。

横浜ブリキのおもちゃ博物館館長の北原照久《きたはらてるひさ》さんは、世界的なおもちゃコレクターとして有名ですが、コレクションを始めた頃には、誰にもその価値を理解してもらえないことがつらかったと言います。

拙著『図解20代にしておきたい17のこと』（大和書房より出版予定）に収録している北原さんのインタビューのなかに、次のような一節があります。

「わかってもらえないことで卑屈《ひくつ》になったり、いじけたりしないことです。一般的にはまったく評価されないものでも、僕は『これ、いいでしょう』『これ、いいでしょう』ということを言いつづけてきました。そうすると、一人二人と『あ、これ面白いな』『いいよね』と言ってくれる人が現れます」

北原さんは、そうやって、「評価してくれる人がいなかったら、評価してくれる人を見つけにいけばいいのです」と語ってくれました。

北原さんの言葉は、20代の人たちに向けて語られたものですが、60代の人たちのほうが、ピンとくるものがあるかもしれません。

これまでは、時間や手間、お金がかかることは、どうしても後まわしになりがちでした。でも、ようやく、それを優先していいときがやってきたのです。

「こんな無駄《むだ》なことをしていいのかな」

と思えるくらいの、自分にしかわからない楽しみを見つけてください。

それは、ふとしたことで見つかります。友だちの家に行ってみたら、面白いものが置いてあった。展覧会に出かけたら、衝撃を受けるような展示物を見た。美容院で雑誌を見ていたら、記事で面白いものを見つけた。そんな感じで、多くの人は、自分の趣味に出合っています。

いずれにしろ、面白そうだと思ったら、積極的に出かけていくことです。

それが、どのようなものであれ、あなたの人生をきっとワクワクさせてくれます。

7 恥ずかしくてもやってみる

あなただけにしかわからない楽しみのなかには、人に言うのはちょっと恥ずかしい、というようなこともあるかもしれません。

たとえば、中年の男性がブラジャーをすることが流行《はや》っているという記事を読んだことがあります。

最初に聞いたときはよくわかりませんでしたが、「ブラジャーをすると心がシャキッとする」という50代の男性のコメントが書かれていて、「なるほどな」と思いました。買いにいくだけでもドキドキするし、実際に身につけるとクセになってしまうということも書かれていました。

ひと昔前の60代の趣味といえば、俳句や短歌、盆栽《ぼんさい》、ゲートボールといったイメージですが、いまはもっともっと多様化しています。

新しいことを始めるというのは、男のブラジャーほど過激でないことでも、ドキドキするし、最初は恥ずかしいと思うことも多いでしょう。

でも、自分の社会的常識に縛《しば》られずに、恥ずかしくても、「面白そう！」と思ったことは、ぜひやってみてください。
・人前で歌を歌う
・スピーチをする
・自分の絵を見せる
・ピアノを聴かせる
・手料理を振る舞う
そのための発表会やパーティを企画するのも、「恥ずかしいけれど面白そう」ではありませんか？

きっとそれが、人生の楽しみに変わる可能性があります。

7 人生は自分を楽しませるためにある

60代に入ると、守りに入る人が出てきます。

これからは、収入がなくなることはあっても、増えることはないと感じるのも一因でしょう。お金がかかりそうなこと、リスクをとらなければならないようなことには、できるだけ近づかないようにします。

そうなると、たとえば家族の誰かの誕生日に、「みんなで食事に出かけよう」という気分にもならなかったりします。

何か特別なことにお金を使うのは「もったいない」と考えてしまうと、いつも同じような、変わり映《ば》えのしない毎日を送ることになります。

人生は、毎月、家賃やローンを払って、つつがなく生活することだけが目的ではありません。

細く長く生きようとするのは悪いことではありませんが、それよりも、楽しむことを優先させるのも、人生には必要です。

安全を考えたら、どこにも行かない、何もしないのがいいでしょう。

でも、そこに楽しさはありません。

残りの人生を安全に生きていくために使うのか、楽しむために使うのか、いまもう一度考えてみましょう。

もし、怖いけど、面白い人生にしたいと思うなら、お金のかからない趣味から始めるというのはどうでしょう？

それで、ワクワクしはじめたら、しめたものです。その勢いで、あなたが楽しいと思うことは、経済的、時間的に許す限り、ぜひ何でもやってみましょう。

趣味の関係で知り合った人たちは、利害関係がないので、自由で楽しいものです。ぜひ、新しい世界に一歩踏み出してください。

7 わかってくれる人はきっと見つかる

インターネットのサイトを見ていると、こんなことに興味がある人がいるのか、というような同好会が数多く存在します。

たとえば、飛行機に乗る趣味なら理解できますが、遠く離れた国のクリケットチームを応援する会などがあるのには、びっくりします。

なぜ、わざわざ外国のマイナーなスポーツのファンになるのか、その心理は私には理解できませんが、ハマる人がいるのは事実です。

「こんなことが好きなのは、自分くらいだろうな」というような趣味でも、案外、「同好の士」はいるものです。

インターネットなどで検索すれば、あなたと同じ趣味、趣向の人は、きっと見つかります。

たとえそれが、言葉の通じない外国の相手でも、共通の趣味をもつ人は、一瞬で親友になれるようです。

私の友人でアニメオタクがいますが、ソウルに行ったとき、韓国のアニメオタクと親友になったという話をしてくれました。

お互い韓国語と日本語で、英語も通じないのに、アニメのキャラクターの名前を一日中語り合って、夕方二人は握手して別れたそうです。

自分がいいと思うものをいいと感じる人というのは、同じ感性をもっています。

それは国境を超えるだけでなく、世代、性別も超えて、あなたに、これまでとは違う世界を開いてくれるかもしれません。

その世界で過ごす時間が、幸せをもたらしてくれることは、言うまでもないでしょう。

8
若い友人をもつ

8

ファッションから変えてみる

老け込まないためには、20代、30代の友人をもつことが有効だということを述べました。あなたに若々しさを取り戻させてくれるのは、若いエネルギッシュな友人たちです。彼らと一緒にいるだけで、元気がもらえます。

それはわかっていても、若い人たちと一緒にいても、自分だけが場違いな気がして、どうしていいのかわからないという人もいるでしょう。

たしかに、おじいちゃん、おばあちゃんに見えそうな人が、いきなり若い人たちのなかに入っても、友だちにはなりにくいかもしれません。

若い人たちのほうで、違和感をもってしまうからです。

そうならないようにするには、まずファッションから変えてみましょう。

あなたのクローゼットを開けてみてください。

黒や茶、ベージュなどの色合いの服が多いのではないでしょうか。

アメリカやヨーロッパの高齢者が若々しいのは、高齢者になるほどカラフルな服を着るからです。こんど洋服を買うときには、お店の人に今年の流行色を聞いて、それを取り入れるのも一つの方法です。

色でもスタイルでも、ついつい無難《ぶなん》なものを選んでしまいがちですが、60代になったら、逆の方向に行きましょう。

ビジネスの場に、若い人がTシャツで現れたら、「だらしがない」という印象を与えるかもしれませんが、60代を過ぎた人がTシャツを着こなしていたら、「若々しい」とか「かっこいい」という反応が返ってくるはずです。

あなたのお子さんが見たら、言葉を失うようなファッションをしてみてください。

そして、「この洋服どう？」と唖然《あぜん》とする子どもたちに、勝ち誇ったように言ってください。きっと、気分が変わります。

8

20代、30代の感覚に触れる

60代になってくると、いろんなことが億劫《おっくう》になります。

世の中の動きや流行などについても、興味を失うかもしれません。

でも、それこそが、老化の始まりです。いつまでも若々しく、人生を楽しむには、20代、30代の感覚に触れてみることです。

洋服を買う場合も、年相応である必要はありません。あえて20代、30代の人が買うような店に行って、自分の服を選んでみましょう。

私のメンターの櫻井秀勲《さくらいひでのり》さんは80代にもかかわらず、若者向けのショップに行って洋服を買っているそうです。雰囲気がいつも若々しいのは、そのあたりのことから来ているのかもしれません。

70代、80代になっても、年齢を感じさせない人は、いまでは多くなりました。まして60代のあなたが老け込んでいる場合ではありません。

ふだん、あなたはどんな店で買い物をしていますか？

百貨店で買うだけでは、年相応のファッションになってしまいます。若い人向けのお店に、勇気を出して入ってみてください。入るだけで命は取られません。恥ずかしくなったら、早々に出てきてもいいのです。

東京であれば、たとえば原宿を歩いてみてください。たぶん、うるさいだけの通りと感じるのではないでしょうか？

年を重ねるにつれて、自分と「若い人たち」のあいだに境界線を引いてしまいがちですが、それでは自らを老人の世界に追いやるようなものです。

お店でもカフェでもレストランでも、若い人たちが行くようなお店にも行ってみましょう。そんな場所にいるだけでも、あなたの気持ちは華《はな》やぐかもしれません。自分が場違いかどうかを気にするのはやめましょう。あたかも自分も若者の一人のような気分で、場に溶け込んでみてください。

8 若い人とおしゃべりできる人、できない人

若い人と友だちになって楽しいのは、おしゃべりして盛り上がることです。あなたの言葉に、思いがけない反応が返ってきて、びっくりすることもあるかもしれませんが、それ以上に、面白い時間を過ごせることでしょう。

しかし、若い人と話をしても会話が弾《はず》んでいかないという人は、多いのではないでしょうか。

若い人と自然に話せる人は、好奇心旺盛《おうせい》な人です。彼らのしていることや、言ったことに対して、先入観なしに、「それって、どうして？」とか、「なぜ、こうなの？」と純粋に聞くことができます。

たとえば、金髪に染めている若者がいたとして、生活指導の先生が〝上か

ら目線〟で「なんで金髪なんだ！」と聞くのと、「髪の毛が金髪のほうが楽しいのかな？」と聞くのでは、まったく違います。

後者には、「私はこうするべきだと思う」という意見がありません。いいも悪いもなく、フラットに相手の話を聞こうとする姿勢に、相手のほうも心を開くわけです。

前者が尋問《じんもん》だとすれば、後者は取材になっているといえばわかりやすいでしょうか。好奇心旺盛な外国人が日本に来て、「なぜ、家に入るのに靴を脱ぐんですか」「挨拶《あいさつ》するときに頭を下げるのは、なぜですか？」と聞くのに似ています。

また、「昔はこうだった」とか、「こうすべきだ」というばかりでは、相手は離れていくのではないでしょうか。

自分たちの若いときのことを思い出してください。大人に対して、自分がいちばん嫌だと思っていたことを、もしかしたら、自分がしていることもあるかもしれません。

8 若い人に嫌われるのはこんな人

60代になると、自分の子どもや孫を別にすれば、若い人たちとの接触がないという人は結構います。

職場には、部下や後輩がいるかもしれませんが、第一線を退くと、たとえ出社はしていても、若い人と話をする機会も少なくなってしまいます。

ところで、『アバウト・シュミット（About Schmidt）』という映画を観たことがありますか？　２００2年に公開されたジャック・ニコルソン主演の映画ですが、66歳で保険会社を定年退職した男シュミットの、老後の日々がシニカルなユーモアで描かれています。

家にいても何もすることがないシュミットが、もとの会社に顔を出しにいくシーンがあります。

退職日には、仲間たちが会食の場を開いてくれ、その席で、「いつでも会社に遊びにきてください」と自分の後任者から言われたのを思い出したからですが、行ってみたら自分のいる場所はなく、第一、話すこともありません。

「わからないことがあれば何でも聞いてくれ」と言うシュミットですが、相手からすれば、ただ聞いてくれと言われても、仕事でよほどのトラブルが起きていない限りは、「何もない」というのが正直なところでしょう。

要は、このシュミットは、若い世代とのコミュニケーションが取れていないのです。

いかにも「私は正しい」という顔をした老人が嫌われるのは、世界共通です。「自分は正しい」「昔はこうだった」「昔はよかった」という人と一緒にいても楽しくないからです。

それよりも、自分たちと同じ目線に立って、「面白そうだね」とか、「それっていいね」というスタンスで、ポジティブに接してくる人に、若い世代に限らず、人は好感をもつのではないでしょうか。

60代になったら、40代、30代、20代の友だちをもつようにしましょう。言うまでもないことですが、彼らに媚《こ》びたりする必要はありません。

〝上から目線〟でつき合うのはダメだとなると、こんどは相手のご機嫌《きげん》をとってしまう人がいますが、友だちは、いつも対等な関係、尊敬し合う関係だということは、「友だちと出会い直す」の章でもお話ししました。

友情をもって、そして、そのうえで、そういう若い人たちのメンター（相談相手）になってあげることで、自分の人生のいろいろなことを統合することができます。

そして、雑誌の記者のように、いまの若い人たちが何を考えているのかを調べて、感じてみましょう。同世代の友人に教えてあげるだけで、みんな感心してくれるでしょう。そして、まわりの老け込んだ友人を若返らせるプロジェクトを進めてください。

9

親の死んだ年齢を数えない

9

自分に残された時間

「60代になって、自分の親が何歳で死んだかを考えるようになった」

という人は多いようです。

若いときには親が死ぬなんて考えられなかった人でも、40代、50代になると、親の介護を経験したり、最期《さいご》を看取《みと》ったりという人も多くなります。

60代は、親も、祖父母も元気だという人がいる一方で、親が亡くなった年齢に自分が近づきつつあることを実感する人も、少なくありません。

そして、たとえば、いま自分が63歳だとすれば、「そういえば親父が死んだのは69のときだった」と考えて、「あ、ヤバい。俺はあと6年しかない」と考えてしまうのです。

60代になると、仕事を続けている人は多くても、第一線で働いている人は少なくなります。60代の後半になれば、もう自分が人生の晩年を迎えているんじゃないかという気分になってきます。

すでに親を亡くしている人は特に、自分に残された時間を意識するようになるのは自然なことです。けれども、当たり前のことですが、その人が、親と同じ年齢で死ぬとは限りません。

人生80年の時代です。60代のいまを人生の晩年にしてしまうのは、自分のこれからの可能性の芽を摘《つ》んでしまうようなものです。

誰にでも寿命はあります。残された時間には限りがあり、20代、30代の頃に比べれば、それはもう、そんなにたくさんは残っていないかもしれません。

でも、健康であるにもかかわらず、「あと○年しかない」と考えるのは、現実的でないし、自分を老け込ませるだけです。60代になったら、「親が死んだ年齢を数えない」のは、そういう意味からです。

9 自分の親の人生と自分の人生を比較する

60代になって、自分の人生を振り返ったときに、親の人生も考えてみるのは、悪くないように思います。

自分が生まれたとき、親は何歳だったのか、何をしていたのか。若い頃の両親の姿を思い出すと、子どもの頃にはわからなかったことが見えてくるかもしれません。

親は自分にどんなふうに接してくれていたでしょうか。年をとってからは、変わったでしょうか、変わらなかったでしょうか。

親の人生にとって、自分という子どもは、どんな存在だったでしょうか。

「いつも心配ばかりかけていた」という人もいるかもしれません。

「親にとっては自慢の息子だった」という人もいるかもしれません。

自分の子ども、両親にとっての孫ができてからは、どうだったでしょうか。自分が小さい頃には声もかけてくれなかった父親が、孫には絵本を読み聞かせているのを見たりして、驚く半面、ほほえましい気持ちになったこともあったかもしれません。

親は親の人生をどう生きたのかを俯瞰《ふかん》してみると、いままで気づかなかった親の顔が見えてくることもあるのではないでしょうか。

そして、自分の人生についても考えてみましょう。

親たちの老後と、自分のこれからの老後では、あまりにも時代は変わってしまいました。親たちのような老後を望んでも、手に入らないというのが、いまの現実かもしれません。

昔は、老人が安心して年をとれた時代でした。長男や嫁が面倒を見てくれたし、年相応に老けていたから、「おじいちゃん」「おばあちゃん」になって静かな余生を過ごすことができました。

けれども、いまは60代では、まだまだ「おじいちゃん」「おばあちゃん」にはなれません。自分でも、その実感はわかないという人が多いのではないでしょうか。

ことに、自分の親や祖父母がまだ元気だという人は、なおさらでしょう。80代、90代になった親が、まだまだ元気だという人は少なくないでしょう。１００歳を超えても、現役で働いている人がいるのが、いまの時代です。

そういう人は、自分の孫がいながら、自分自身も、まだ娘や息子であり、孫なわけです。

60歳を過ぎても祖父母から、お年玉をもらっているという人に会ったことがありますが、その方は、もらったお年玉を、そのまま自分の孫にまわすのだと笑って話してくれました。

それは極端な例にしても、親たちが生きた時代と、いまの時代は、大きく変わりました。60代になっても老け込まないためには、この時代に合った生き方を見つけていくことが、大切ではないでしょうか。

9 親の死んだ年に、自分も死ぬか

親を早くに亡くしている人は、親が亡くなった年齢というのを、どうしても意識してしまうようです。

俳優の中井貴一《なかいきいち》さんは、３歳の誕生日を迎える直前に、父親を交通事故で亡くしています。父親は俳優の佐田啓二《さだけいじ》さんです。交通事故で亡くなったというニュースは日本中を駆け巡り、葬儀にはファンを含めて約１０００人の人が詰めかけたそうです。

佐田啓二さんは37歳で亡くなりましたが、息子である中井貴一さんは、父親が死んだ37歳で自分も死ぬと、子どもの頃から思っていたそうです。

38歳の誕生日を超えたときに、自分は死なないということが実感できて結婚も決めたというのは、有名な話です。

大切な人の死を乗り越えるのは、そう簡単ではありません。頭では理解できても、気持ちで受け入れられないこともあるでしょう。

若いときには、そんなことも忘れていたかもしれませんが、60代になると、親の死というものを、それまでよりも身近に感じるようになるようです。

親の死んだ年齢を超えたところで、「もう、いつ死んでも悔いはない」というふうに考える人もいます。

でも、中井貴一さんのように、そこから、人生を始めることもできます。

中井さんは30代だったから、それができたというのは間違っています。60代だからこそ、より人生を始めやすいということもあるのではないでしょうか。

親が死んだ年に、自分の人生が終わると考えるより、そこから第二の人生が始まるというふうに考えてみるのはどうでしょうか。

9 親の人生について考える

60代にもなると、親の存在は大きくなくなります。80代の老親がまだ元気でいるかもしれませんが、どちらか、あるいは両親ともに亡くなっている人も多いでしょう。

いま一度、自分の両親の人生に思いを馳《は》せてみましょう。ある程度の人生経験を経て、親の人生を考えるとき、彼らは幸せだったでしょうか？

それとも、苦難の連続だったでしょうか？

彼らの人生で、何がいちばんの幸せだったのでしょう？

そういったことを思い出すうちに、親との絆をもう一度確認できるのではないでしょうか。

10 旅に出る

10 旅に出る目的と効果

この本を書くにあたって、たくさんの60代の方にインタビューをしました。いろんなタイプの人から話を聞いてまわりましたが、夫婦仲がうまくいっているカップルには共通点がありました。

それは、彼らがしょっちゅう一緒に旅に出ていることです。

旅といっても、長期間であったり、贅沢《ぜいたく》な旅行でなければならないということはなさそうです。海外でも、国内でも、その行き先も、極端にいえば、近所の散歩でもいいようです。

旅をすることで、外で一緒に過ごす時間が多くなる、というのが、仲のいいカップルの秘訣のように思いました。

結婚して30年、40年という月日がたてば、よくも悪くも、お互いが空気のような存在になります。

愛を確認するどころか、ふだんの会話さえなくなっても、普通かもしれません。だからといって、愛情がゼロだということではなく、口に出さなくても済んでしまうような関係です。

家のなかでは、それで済んでも、いったん旅行に出ればそうもいきません。観光したり、買い物に出かけたり、旅行に出るというのは、同じ目線で同じ方向を向くことになります。

いきなり、海外だとハードルが高いかもしれないので、慣れない人は、国内の日帰り旅行からいってみましょう。

ツアーコンダクターの人の話を聞いても、パック旅行に参加した夫婦が、最初は観光するときに別々で離れて歩いていたのに、明日帰るという頃には手をつないで歩いていたということがよくあるようです。

一緒に旅に出てみましょう。

10 日常の生活では経験できないこと

旅に出ると、日常の生活では体験できないことがいっぱいあります。

特に海外旅行に出かけると、日本にいたら当たり前のことでも、新鮮な感覚で体験することができます。

たとえば、朝のマーケットに出かけてパンを買うなんてことは、ふだんの生活だったら面倒で、「あなた、買ってきてよ」というふうになるかもしれません。でも、そこが南フランスだったら、どうでしょう？　ニューヨークなら、どうでしょう？　想像しただけで、ワクワクしてきませんか？

海外では地下鉄に乗るのも、冒険です。チケットを買うだけでも身ぶり手ぶりで、目的地までたどり着くまでのアクシデントは、あなたのサバイバル本能を目覚めさせるでしょう。

定年になって生きる意欲をなくしていた夫が、妻と旅行したのをきっかけに、そのサバイバル本能に目覚めて、元気になったという例もあります。

海外に二人だけで出かけたら、もう運命共同体です。お互いを感じ合い、支え合わなければ、無事に帰ってこられません。

旅に出ると、いろんなハプニングにも出合います。スリや置き引きに遭《あ》ったり、カバンを置き忘れたりするなんていうことはしょっちゅうです。そういうドキドキが、マンネリになりがちな二人の生活にリフレッシュ効果をもたらすのでしょう。

たとえば、身近なところでは、ハワイのキッチンつきのコンドミニアムを2週間借りて、現地で生活してみるというのも面白いかもしれません。

生活費は、ほとんど日本と変わらないので、飛行機代プラスちょっとで、海外暮らしの疑似《ぎじ》体験が味わえます。

地元のスーパーで買い物をして、現地の人のように生活をしてみると、いつもと違った体験ができます。

知り合いの老夫婦が味噌汁をつくったところ、えらく甘くなってしまって、とても食べられたものではなかったそうです。不思議に思って調べると、豆腐だと思って買ってきたものが、なんと、杏仁豆腐だったのです。そんなハプニングは、10年以上たっても二人で笑えるネタになります。

そんな大失敗を積み重ねるのも、夫婦の絆を深めることにつながります。

家にいて、なんとなく過ごす1日と、海外で過ごす1日とでは、まったく違うというのは、これまでに経験したことがあるのではないでしょうか。

より刺激的な瞬間をできるだけ多くもつことが、あなたのこれからの人生を面白くさせます。

単調な毎日を送っていると、頭のシャープさが、いまこうしているあいだにも、どんどん鈍くなっている可能性があります。

旅は、実際に出かけなくても、想像上でも構いません。二人でガイドブックを買ってきて、あれこれ想像するだけでも楽しめるものです。

10 いつか行ってみたいと思っていた場所に行ってみる

「いつか行ってみたい」

あなたには、そんな場所がありますか？

『死ぬまでに一度は行きたい世界の1000カ所』（イースト・プレス刊）というガイドブックがありますが、60代にはぜひ読んでいただきたい一冊です。

ガイドブックに載っていた場所でも、載っていない場所でも、いつか行けたらいいなあと思っていたところがあったら、そこに行く計画を立てましょう。一カ所でなくても構いません。

実際に、資料を取り寄せたり、飛行機や電車の時間を調べたりしてみてください。

いつ行くかを決めるのも重要です。

「オーロラを見るなら、この場所でこの時期に……」ということがあります。

あなたがベストタイミングだと思う時期に、ぜひ、あなたの行きたかった場所を訪れてください。

マンガ『課長　島耕作』（講談社刊）で有名な弘兼憲史《ひろかねけんし》さんの作品に、『黄昏流星群《たそがれりゅうせいぐん》』というシリーズがあります。中年以降の恋愛を主軸に、人生とは何かを考えさせられる短編マンガ集で、『黄昏流星群』というタイトルは、「老いゆく過程で光り輝く」という意味からつけられたそうです。

その第1集に収められている「不惑の星」は、30年、仕事人間で生きてきた主人公が、子会社への出向を命じられて、半《なか》ば自棄《やけ》を起こしてスイスのマッターホルンに旅行にいくところからドラマが始まります。

マンガのように、恋に出合えるかはともかく、自分が行きたかった場所に行くたびに、人生の面白さや深みが増していくことはうけ合いです。

10 一人旅で、プチ冒険を楽しむ

「旅行にいくなら誰と行くか」というアンケートでは、60代はやはり、「家族」がダントツですが、「一人旅をしたい」という人も少なくないようです。

特に女性の場合は、自分へのご褒美《ほうび》として、好きなところで好きなように過ごすということで、それを希望しているようです。

家族や友人に気を遣うくらいなら、いっそ一人で行きたいと思うのでしょうか。それだけ一人で行動するのに慣れているということかもしれません。

一人旅とまではいかなくても、日帰りで美術館や劇場に行ったり、ということを日常的にしている人もいるでしょう。

パートナーと一緒に過ごす時間と同じくらい大切なのが、一人で過ごす時間です。

前で自分の楽しみを見つけることが大事だという話をしましたが、旅は、まさに自分を楽しませるものです。

美術館や博物館を巡って、その土地の歴史を学んだり、郷土料理を楽しむことで、未知のものに触れる喜びを体験できます。

旅を通して、さまざまな人との出会いもあります。

普通のホテルではなく、若者が旅をするようなユースホステルに泊まることで、ふだん会えない人と出会えます。それこそ、20代のバックパッカーと話が合って、友だちになるということもあるかもしれません。

60代で元気なうちに、そんな一人旅を一度くらいは経験しておくことも、楽しい思い出になります。一人で行った場所に、こんどは誰かと行くというのもいいかもしれません。

60代は冒険できる最後の年代といえるでしょう。危険な場所には注意が必要ですが、そこに気をつけながら、積極的に冒険を楽しんでください。

11

新しいことを学ぶ

11 自分が知らなかったことを知る喜び

人間の喜びにはいろいろな種類がありますが、「新しいことを学ぶ」というのは、大きな喜びの一つではないかと思います。

本来、勉強というのは強制されてするものではありません。強制されると嫌になるというのは、誰もが経験したことではないでしょうか。

自分が楽しいと思うことを学んでいくと、次々と好奇心の対象が広がっていきます。

あなたが学んでみたいと思うことをぜひやってみてください。

昔から「六十の手習い」のことわざもあるように、学んだり、習い事をしたりするのに年齢制限はありません。

むしろ若い頃にはできなかったことでも、いまならできるということもあるのではないでしょうか。

ずっとピアノを習いたいと思っていたという女性がいました。昔は、ピアノがある家といえばお金持ちの家だけで、親にそれをねだることさえできなかった、とその人は言いました。それからいままで、時間的にも、経済的にも、そんな余裕をもてないまま、60代になってしまったわけです。

でも、いまなら、ピアノを習えるのではないでしょうか。

若いときには、勉強したくてもできなかったことを、60代のいまから始めてください。

それはガーデニングでもいいし、料理でもいい。文学や歴史、心理学を研究したいという人もいるでしょう。

その新しいことを学ぶ喜びは、あなたの人生に、幸せ感や躍動感《やくどうかん》をもたらします。

11

仕事につながらない学びを楽しむ

学ぶことは、若い頃から、さんざんしてきたことだという人もいるでしょう。でも、その多くは仕事に関係することだったのではないでしょうか。就職するときに有利になるために資格を取ったり、営業成績を上げるための知識やノウハウを学んでいたのではないでしょうか。

60代からの学びは、自分の楽しみのための学びでなくてはなりません。自分が心から楽しめることをぜひ学んでください。

学ぶには、お金がかかることもあるかもしれません。

60代の悪いクセは、仕事やお金につながらないことに、浪費するのはよくないと考えることです。

主婦であれば、家族のためになることでお金を遣うのは平気なのに、自分の、それも楽しみのためにお金を遣うのは、何か悪いことのように考えてしまう人もいます。

たとえば絵を習いにいくにしても、「油絵を描いて、家に飾るため」というような「言いわけ」が必要だったりします。

でも、家族のためなら、もう十分に尽くしてきたはずです。

仕事のためにも、十分、頑張ってきました。

だから、もう自分の楽しみだけのために、勉強していいのです。

音楽でもアーチェリーでも外国語でも、とにかく楽しいから学ぶ、ということをぜひやってみてください。

「楽しむ」と「節約」のあいだに揺れるのが、60代の特徴でもあります。

お金をかけずに、いかに楽しむのかということも、クリエイティブに考えてください。それも含めて楽しめるようになると、毎日がカラフルになってくるでしょう。

11

これからの10年をかけて楽しめること

学びや楽しい活動のなかには、あなたの生まれた目的が隠されています。

それを学ぶことが運命だったというようなものに、これから出合う可能性があるということです。

残りの人生をかけて、あなたが本当にやりたいこと――それをすることによって、自分が癒《いや》され、満たされるだけでなく、あなたのまわりまでも癒し、満たしていきます。

自分が大好きなことを見つけて、学ぶということは、将来、あなたが誰かに教えることでもあります。

あなたが本当に楽しいなと思うもの――それを教えると、もっと楽しくなります。

「六十の手習いなのに、教える側にまわるなんてあり得ない」と、あなたは言うかもしれません。

そうです、あなたは自分が、まだ60代だということを意識しなければなりません。

どんなことでも10年という時間を費《つい》やしたらプロになれると、私は思っています。

いまから10年やっても、まだ平均寿命までには間《ま》があります。

あなたが本当にやりたいこと、得意なこと、いままでは少しも経験してこなかった新しいことを学んでいくことが、あなたのこれからの人生をどれだけ輝かせるかしれません。

11

若く見える人は、いつも新しいチャレンジをしている

60歳を過ぎたら、もう人生は終盤戦と考えていた人も、新しいことを学びはじめると、急に生きることに欲張りになっていきます。

たとえば、フラワーアレンジメントを学んだら、テーブルセッティングも学びたくなる、インテリア・コーディネーターの勉強もしたくなる、というように、一つの勉強から、次の勉強へと広がって、好奇心のドミノ倒しのようなことが起きてきます。それを心のおもむくままにやっていくことは、人生でもっとも楽しいことでもあります。

また、勉強を始めることで、それまで出会わなかった人たちとつき合うようになり、交際範囲も広がっていきます。

「小学生の孫が塾だ、水泳だと忙しそうだけど、私も、バレエと書道とフルート、そうだ、最近また刺繍《ししゅう》も始めたのよ」

というように、1週間で空いている日を見つけるのが難しいほど、フルで忙しくなる、ということもあり得ます。

「楽しいことがありすぎて、老け込む暇がない」

そんな「老後」は、ものすごく楽しいと思いませんか？

年齢より若く見える人は、いつも新しいことにチャレンジしています。

新しいことにチャレンジするのは、実はそう簡単ではありません。

失敗するかもしれないし、恥をかくかもしれません。痛い思いをすることも、ないとはいえません。それでも、それに怖気《おじけ》づくことなく、「何だろう？」と思って近づいていける。その好奇心が、若さを引き出し、それをキープするのではないでしょうか。

男性でも、女性でも、いつまでも、そんな若さを保つことは、それに続く下の世代の希望でもあることを知ってください。

12

自分に合う健康法を見つける

12

60代からは健康であることが最高の財産

40代、50代はあんまり気にしていなかった人も、60代からは自分の健康について考えるようになります。

友人や同級生のなかでも、急に病気で亡くなったり、交通事故で亡くなったりする人が出てきているのではないでしょうか。

60代は、健康がもっとも大事であることを身をもって体験する年代です。

どうすれば、健康を維持できるのかという観点から、ここで一度、生活習慣を見直しましょう。

あなたはふだん、どれだけ健康に気を遣っているでしょうか。

たとえば野菜ジュースを飲むことを日課にしている人もいれば、いろいろなサプリメントを飲んだり、運動をしたりしている人もいます。

健康を意識していない人は、「そんなことをしても、死ぬときは死ぬんだ」というようなことを言います。

たしかに、その言い分はもっともですが、健康に気を遣うのは、死なないためではありません。死ぬまで健康であるということが、60代からの健康法の目的であるといってもいいでしょう。

体に悪いとわかっていても、たばこやお酒をやめられないという人は多いでしょう。また、いくら健康にいいといっても、無理してまで、菜食主義者《さいしょく》になったりするのは、どこか極端なような気がします。

開き直って、「どうせ俺は早く死ぬんだ！」と言う人がたまにいますが、それはちょっともったいない生き方です。

たばこをやめられないなら、吸いすぎないように気をつけましょう。食事は、偏《かたよ》らない程度に気をつけましょう。毎日のちょっとした小さな習慣が、60代からの健康を保つうえで大切なのです。

12

流行りの健康法が自分に合うとは限らない

ダイエットをしようと思ったら、その方法は数えきれないほどあります。

それと同じように、健康法にも、いろいろなものが流行っているようです。

「現代人は一日一食がいい」という内容の本がベストセラーになると、一日一食にしたり、炭水化物を食べないほうがいいとなると、お米やパンを食べなかったり、あるいは、バナナがいい、グレープフルーツがいい、リンゴがいい、となると、それがスーパーから消えるという現象が起きています。

それら一つひとつの健康法は、それなりに理《り》にかなったものでしょう。

けれども、ただ、それを鵜呑《うの》みにして実践していくのでは、かえって、健康に悪いということもあるのではないでしょうか。

流行りの健康法に惑わされるのではなく、その健康法が、自分の体質に合っているかどうかを考えてみてください。

健康法には、自分に合うものもあれば、合わないものもあります。

低血圧の人もいれば、むくみやすい体質の人もいます。その人たちが一様に同じ健康法でいいというのは、素人判断でも、おかしいと思いませんか。

一日一食のほうが健康的になれる人もいれば、途中で血糖値が下がりすぎて倒れてしまう人もいます。

水泳が体にいいという人もいれば、それが原因で冷え性を加速させてしまう人もいるでしょう。

自分は散歩がいいのか、走るのがいいのか、朝バナナがいいのか、リンゴがいいのかということを、自分の体と相談しながら試していって、自分にとってベストな健康法を、60代のうちに完成させることが大切です。

自分の体質や生活習慣に則《そく》した健康法を見つけてください。

12 負担のかからない健康法を選択する

40代、50代のうちは、なんとかできていたことでも、60代になると、無理が利かなくなります。

これからは、精神的にも、肉体的にも、あなたにとって、いちばん負担のかからない健康法を選択してください。

それには、心身ともに充実した生活を送ることが不可欠です。

みなさんの40代の頃には、いまほど健康に気を遣っていなかったのではないでしょうか。

時代によって、健康食品や器具、運動の流行り廃《すた》りはあっても、いまになってみれば、それはまだ表面的なものであったように思います。

いまは、健康に対する意識が高まり、たとえば40代、50代の女性でも、30代にしか見えないようなスタイルを保っている人が、普通にいます。

たとえば昔なら、モデルといえば、一般の人ではあり得ない細さを保たなければならなかったのが、いまは痩《や》せすぎのモデルは敬遠《けいえん》されることさえあるそうです。いまは、そういう時代なのです。

60代からは、体を上手にメンテナンスしていくことを考えましょう。

いまのうちにメンテナンスしておくと、70代、80代を楽しく、快適に過ごすことができます。

メンテナンスが悪いと、下手をすれば60代のうちに人生が終わってしまったり、70代、80代で苦しんだり、ということになりかねません。

車のように、パーツの交換はできませんが、歯や目、頭、それに腰、膝の関節などを、それぞれ大事にするということをやってみてください。

12 病気とうまくつき合う

60代にもなると、持病の一つや二つを抱えているのが普通です。健康のことを考えるとき、これ以上不健康にならないという視点が大事です。

目、耳、鼻といったものから、肺、腎臓、胃、肝臓といった臓器。また、腰、膝、足といった運動機能まで、どこかにガタがきているかもしれません。

これから、健康面では下り坂かもしれませんが、いまの状態と上手につき合っていく姿勢をもつようにしましょう。20代と比べて、あそこがダメ、ここがダメだと言っていたら、気分が暗くなってしまいます。

しかし、同時に、自分が将来、どういう病気で死ぬことになるのかということも、イメージしておいてください。

たとえば、親兄弟のなかの複数が、胃ガンで死んでいたとしたら、あなたは胃に注意しておく必要があります。

あるいは、肺が悪い、肝臓が悪いなど、あなたの家系に流れる病気の遺伝子みたいなものがあるはずです。それを意識しておきましょう。

また、あなたの体質や健康への取り組み方も、冷静に見ておいてください。無理してしまうクセがないか、暴飲暴食《ぼういんぼうしょく》の習慣。お酒が好きで、過度の飲酒をしていないか。タバコはどれくらい吸っているか、などです。

こういうことが、あなたの寿命と関係していきます。あなたの家系の病気、ふだんの健康に悪い習慣が、あなたの死亡原因となる病気を生み出すことになるからです。

もう、すでに何らかの病気を抱えている場合は、だましだましでも、いまの病気とうまくつき合う術《すべ》を身につけてください。

私たちは、いずれ死にます。それまでに、どれだけ快適に暮らせるかを考えておきましょう。

13
自分なりの生きがいをもつ

13 これから何のために生きていくのか

60代になったあなたは、仕事のうえでも、それ以外でも、これまでに、いろいろなことを体験してきたと思います。

これからの10年は、そういった体験や知恵を自分なりに整理していく「まとめの10年」でもあります。

いまから上手に生きれば、人生はあと20年以上残っています。

その残された10年、20年という時間を、何のために生きるのかについて冷静に考えてみてください。

「今回の人生はすばらしかった」と、死ぬときに言えるようにするためには、何をやればいいのでしょうか。

あなたは、どんなことに、生きる意味を見いだすのでしょうか。

いまのうちに自分の生きた意味を見ておかないと、人生の最終章を迎えるときに、「何のために生きてきたんだろう」という虚《むな》しさが出てきます。

60代は、自分の生きがいを見つける最後のチャンスです。

拙著『30代にしておきたい17のこと』（大和書房刊）では、「人生の目的を知る」という章で、生きる目的について、次のように書きました。

「人生の目的というと、大げさな感じがしますが、要は、何を大切にするのかです。家族との関係なのか、ライフワークなのか、個人的な夢なのか。自分にとってかけがえのない、とっても大切なもの、それが人生の目的です」

30代の生きがいは、これからすばらしい人生を生きるためのものでした。

それに対して、60代の生きがいは、自分の人生がこれでよかったのだと納得するためのものです。

その意味で、生きがいというのは、特に60代に必要だといえるでしょう。

13

子どもや孫だけを生きがいにしない

60代になってくると、「孫が生きがい」という人が出てきます。

それが悪いわけではありません。

思い返せば、数十年前、自分の子どもが生まれたときの感動は、忘れ難いものです。でも、すべてが初めてだったことと、人生で忙しい時期と重なったために、子育てを純粋に楽しむ余裕はなかったかもしれません。

ところが、孫の場合は、どうでしょうか。自分の子育ての経験もあるうえに、親の立場とは違って、それほどの責任があるわけではありません。人生も落ち着いて、時間もお金も余裕があります。体力はありませんが、ただかわいがるだけなら問題ありません。

孫は、よく「目のなかに入れても痛くないほどかわいい」といいますが、孫のほうでも、そのことをよくわかっています。

あなたは、ついつい孫を甘やかすことになり、それが孫の親、つまり、あなたの子どもとの関係が、ぎくしゃくする原因になったりします。

あなたがかつてそうだったように、夫婦には、それぞれの教育方針があります。それの邪魔をしては、関係は悪くなるばかりです。

ところで、「空《から》の巣《す》症候群」という言葉を聞いたことがありますか？

子育てに没頭《ぼっとう》していた母親が、子どもが自立していくのをきっかけに、うつ状態に陥《おちい》ってしまうことがありますが、それを、空になった鳥の巣にたとえて、こう呼びます。

子どもは、いつか巣立っていくものです。孫も例外ではありません。

孫が巣立っていくときにも、がっくりこないように、孫以外にも生きがいを見つけて、自分のやりたいことをやれるようにしておくことが大切なのです。

13

働くこと、仕事を続けることが生きがいになる

人によっては働きつづけることや、いままでの仕事を続けることが生きがいになる人も多いでしょう。なぜならそれは、あなたが社会に望まれて、喜ばれる活動だからです。

朝から晩まで働くのはしんどいかもしれませんが、あなたがいちばん気持ちがいいと感じる時間を、仕事に割《さ》くのは健康的なことだと思います。

80歳以上でもイキイキしている人たちは、週に数時間ぐらい、自分の仕事をしている人がほとんどです。

仕事といっても、それは報酬《ほうしゅう》のないボランティアでも構いません。

いまの時代、定年退職後に、それ以前と同じように働くというのは、難し

いかもしれません。

そのときには、それまでの地位や年収にこだわらないことです。生きる目的だといえる仕事や作業であればいいわけです。

大切なのは、「ポスト」ではありません。自分の仕事の、本来の意味を考えてみましょう。

出版社で働いていたのであれば、出版に関わることであればいいわけです。本を出したい人の相談にのったり、人脈を紹介してあげたりするというのも、新たな仕事になるのではないでしょうか。

それまでとはまったく違う仕事をするのでも構いません。「趣味をもつ」の章でお話ししたように、そこからライフワークを見つけられたのなら、それが生きがいになるでしょう。

最近は地域活動なども活発です。そうした社会貢献を果たすことも、立派な生きがいです。

「これは私が生きる意味だ」というものを、ぜひ見つけてください。

13 ライフテーマを見つける

あなたのライフテーマとは、何でしょうか？

若い頃から、どんな職業に就いてきて、どんなことをやってきたのでしょう。それがライフテーマです。あなたが携《たずさ》わってきたビジネス、教育、家事、人間関係に、それは隠されています。

そういう観点から自分の人生を振り返ってみましょう。そこには、きっとあなたの人生の意味があります。それが、あなたの生きがいにつながります。祖父母、両親、あなたへと流れてきているテーマがあるかもしれません。それは、あなたがワクワクして、かつ人を助けることができる力をもつものです。それをぜひ見つけて、実際にやってみてください。

14

子どもの人生に干渉しない

14 子どもは自分とは別個の人間であるという認識をもつ

子どもがいる60代にとって課題の一つは、どれくらいの距離をとって、彼らとつき合うかでしょう。

一般的に、子どもや子どもの家族に過干渉《かかんしょう》してしまい、親子関係をこじらせている60代の人は多いと思います。

この章では、子どもたちとどうつき合うのかをテーマに見ていきたいと思います。

子どもは、あなたとはまったく別の人生を生きています。しかし、それをどれだけ尊重してあげられているでしょうか。

自分と子どもは別人格だということはわかっていても、そうと割りきれないことがあります。特に、女性にとって子どもは、10カ月ものあいだ、自分の体の一部だったわけですから、どうしても自分の所有物のように思ってしまいがちです。それは、何十年たっても変わりません。

以前、80代の人が、「60代の息子が心配でしかたがない」と語ったのを聞いたことがあります。その場にいた息子さんは、ばつが悪そうに頭をかいていました。親にとって子どもは、いくつになっても子どもなのです。

高齢で元気な親がいる人は、80代の老親に指図《さしず》されたり、説教されたりと嫌な思いをしているので、身をもってわかっているかもしれません。

同じように、あなたがあれこれ文句を言ったり、プライバシーに踏み込んでいくことで、あなたのお子さんは不快な思いをしているかもしれません。

子どもを別の人格として尊重しなければ、あとで痛いしっぺ返しを食うことにもなりかねません。

暇をもてあましている60代ほど、息子や娘の人生に干渉します。

「そろそろ転職したほうがいいんじゃないか」

「独立したほうがいいんじゃないか」

「結婚を真剣に考えたほうがいいんじゃないか？」

「いまつき合っている人は、よくない。別れたほうがいい」

「お金は貯めているのか？」

「資格を取ったほうがいい」

「実家に帰ってきなさい」

「いまのマンションより、この近くのほうがいいんじゃないか」

などなどなど。はては孫の受験にまで口出しして、嫌がられることになります。そうなっては、お互いにとって、何もいいことはないでしょう。

最悪の場合、子どもから縁を切られることだって、ないとは限りません。

子どもの人生に干渉してしまいそうになったら、「私は暇なんだ。彼らには彼らの生き方があるから、尊重しよう」と自分に言い聞かせましょう。

それぐらい自分に言い聞かせないと、つい口を挟《はさ》みたくなるのが、親の最大の問題です。

14 あなたが生きた時代と、あなたの子どもが生きている時代は違う

特にあなたが口を挟みたくなるのは、子どもの生き方だと思います。仕事に対するあり方から、夫婦関係、お金の使い方など、すべてに干渉したくなる衝動を抑えるのは難しいことです。

なぜかといえば、あなたは、自分が正しいと信じているからです。そして、子どもの幸せのためには、こうしなければいけないという頑固な信念をもっているのです。

あなたが生きた時代と、あなたの子どもが生きている時代はまったく違います。あなたの世代には考えられないような夫婦関係も、いまの時代では、ごく当たり前のことになっていたりします。

たとえば、あなたには、次のような常識があるかもしれません。

「夫婦共稼ぎでも、家事は妻の仕事である」

「結婚したら、夫が家族を養う」

「一度勤めた会社は簡単には辞めない」

「子どもに学校を休ませるのは病気のときだけ」

などなど、挙げていけばキリがありません。

でも、いまの時代でいえば、こうです。

「夫婦共稼ぎなら、夫が家事を手伝うのは当たり前」

「結婚しても、夫の稼ぎだけでは暮らしていけない」

「合わない会社なら、辞めてもしかたがない」

「ディズニーランドに行く日は、子どもに学校を休ませる」

自分にとって正しいと思うことと、あなたの子どもの時代で正しいと思うこととのあいだには、大きなズレがあります。

生き方は、コンピューターにたとえると、ＯＳ（オペレーションシステム）です。どうやって生きるかというソフトウェアがいつつくられたかによって、全然内容が違います。

いちばん大きなズレは、あなたが「昭和」のOSを使っているのに対して、子どもたちは「平成」のOSを使っていることです。ちなみに、あなたの両親は、昭和初期か、大正時代のOSを使っているはずです。

昭和と平成のOSにたいした違いはないと、あなたは思っているかもしれませんが、両者はまったくといっていいほど違います。

お金に対しても、仕事に対しても、あるいは、人生とはこうあるべきだ、ということに関しても、まったく違う考え方をします。

たとえば、昭和の時代は「みんなで頑張る」というのが美徳でしたが、いまは、「頑張ろう！」と言ったら、「どうして？」と聞かれます。

「みんなで円陣《えんじん》を組んで盛り上がろう」と言っても、「意味がわからない」と言われて、円陣ができません。

何でも集団で競争して、しのぎを削ってきたあなたにとっては、「いまの時代」のゆるい空気を理解するのは難しいかもしれません。

このズレに気づかず、越えてはいけない境界線をずかずかと踏み込んで、幸せになれる親子はいません。

あなたが「違うな」と思うことでも、「まあ、子どもの人生だから任せよう」と思ってください。

60代の人たちがいちばん嫌われるのは、自分の価値観を押しつけてしまうところです。

特に熱い時代に青年期を迎えたあなたは、「自分が正しい」と思っている可能性があります。その暑苦しさで、子どもや若い人に語りかけていったら、正しいと思ってもらえるどころか、嫌がられるのが関《せき》の山《やま》です。

自分が正しいと思っていることは、相手にとっては全然とんちんかんだったり、時代遅れだったりすることがあります。

自分の価値観を、一方的に相手に押しつけないでください。

14

「心配の本質は、呪《のろ》いである」ことを忘れない

親が子どもを心配するのは当たり前。あなたは、そんなふうに思っているかもしれません。でも、あなた自身、親に心配されて、それを鬱陶《うっとう》しく思ったり、ときには腹が立ったりしたことはなかったでしょうか。

心配の本質は、ネガティブな未来をイメージして、それが必ず起きると確信することです。一種の「呪い」だといってもいいでしょう。

たとえば、子どもの将来の経済状態を心配していたとしましょう。

「いまみたいな小さな会社で大丈夫なのか」

「貯金もなくて、老後はどうするんだ」

そんなことばかりを考えてしまいますが、それは心配というよりは、むし

ろ確信といったもので、「将来、この子はお金に困る」と決めつけています。

それがいつのまにか呪いのようになって、現実に、あなたの心配したとおりになります。

親に心配されるとなぜか腹が立つのは、「親が信じてくれていない」ということを、子どもが無意識に感じ取っているからです。

あなたが、本当にお子さんのすばらしい未来を信じていたら、「いろいろ途中であるかもしれないけど、きっと大丈夫だ」と考えるはずです。

実際に、長い人生のあいだには、問題も出てきますが、なんとかなるものです。あなたの人生を振り返っても、そうではなかったですか?

心配は、愛の仮面をかぶった呪いです。

あなたは、愛情表現のつもりで、「あなたのことが心配なの」と言うかもしれませんが、子どもはその裏にあるダークな感情に気づいています。

「心配は、ダメな未来を相手に押しつける行為だ」ということを忘れないでください。

15

男、女であることの喜びを忘れない

15 自分が男性であること、女性であることを意識する

自分のなかの男性性、女性性を意識している人と、していない人とでは、人生の楽しさが違ってきます。前者のほうが人生を楽しめることは、言うまでもありません。

60代のいちばんの問題は、男性も女性も老人化してしまうことです。男であること、女であることを忘れて、老人になってしまうのです。

それを意識しなくても、年を重ねることで、女性の場合は、女性ホルモンが少なくなります。若いときよりも顔が四角くなったような感じがするのは、女性ホルモンが減っているからだという人もいます。

女性性、男性性が薄れてくると、見た目にも、男性か女性かわからなくな

るということがありますが、60代のうちは、まだまだ男性らしさ、女性らしさというものが残っています。それを意識するようにしましょう。

幸せな人は、男性であること、女性であることの喜びを自由に表現しています。

「男に生まれてよかった」

「女に生まれてよかった」

そんなふうに思って生きている人と、「もう自分は枯れてしまった」という人とでは、見た目も内面も、どんどん差がついてしまうでしょう。

男性でも女性でも、セクシーでいようとする人は長生きします。

40代のうちから、男性、女性として終わって、おじさん、おばさん化している人もいれば、80代でも元気で、セクシーな人はいます。

そういう意味で、自分が男性であること、女性であることにエネルギーを燃やすのを忘れないというのは、とても重要です。

15 誰かと触れ合える幸せ

最近、抱きしめられたのはいつですか?——こんなふうに聞かれたら、あなたは何と答えるでしょうか。

「もう10年以上、抱きしめたことも、抱きしめられたこともない」という人がいましたが、50代、60代では、めずらしいことではないようです。

ハグの習慣がない日本では、しかたがないかもしれませんが、ハグどころか、「手を握り合うこともない」という人も少なくありません。

60代は誰かと触れ合ったり、肌の温もりが近くにあるということが、幸せに大きく関係してきます。

自分の愛する人がすぐ近くにいること、その相手に、男として、あるいは女として触れ合うことで、どれほどの喜びと安らぎを得られるかしれません。

「もう、男と女のそういうことは卒業しました」

という人がいますが、触れ合うこともやめてしまうのでは、それこそ、老け込んでいくのを待つばかりです。

パートナーがいる人は、いまからでも遅くありません。相手をやさしく抱きしめてあげてください。なにもきつく抱き合う必要はありません。

触れるか触れないかくらいでもいいのです。

久しぶりの場合は恥ずかしいかもしれませんが、たとえ少々嫌がられても、実行に移してください。

そして、できれば、それを習慣にするようにしてください。

抱きしめる幸せと抱きしめられる幸せを、実感できるのではないでしょうか。

少しずつ、男と女に戻る時間をつくっていきましょう。

15 ときめきを忘れない

60代になると、いちばんの敵は生きる気力がなくなって、老け込むことです。それを防ぐには若い友人をもつことだと前に話しましたが、できるなら、若い異性の友人をもつようにすると、その効果は絶大です。20代、30代の異性の友人というのは、たとえ、それが恋人ではないにしても、少し心がときめきます。

このときめきが、あなたの「男性」「女性」の部分を刺激します。

そんな年下の異性の友人に、パートナーが嫉妬《しっと》することがあるかもしれませんが、それこそ、忘れかけていた男女のエネルギーが戻ってきた証拠です。

結婚生活が長くなればなるほど、夫婦ゲンカをしなくなるそうですが、それはお互いの愛情や理解が深まったというより、ケンカするエネルギーもなくなったというほうが、事実に近いようです。

恋愛するにしても、ケンカするにしても、エネルギーがなければ、そんな気さえ起きなくなってしまいます。

50代では、人生をボロボロにするような恋愛をする人がまれにいたとしても、60代では、その確率はぐんと低くなります。

60代になると、自分のなかにある衝動、行動的なエネルギーが減ってしまうからです。それだけ生命力エネルギーが弱っているともいえます。

「ときめき」は、そのエネルギーを高めるガソリンのようなものです。

自分のなかにある男性性、女性性を目覚めさせて、その喜びをもう一度、実感してください。

16

未来に投資する

16 生きた証を残す

自分の人生をどう終えるのか、具体的なイメージをもっている人もいると思います。

すでに遺言書を書いたり、子どもや孫に、お金や記念になるものを残す準備をしたりしている人も多いのではないでしょうか。

でも、あなたには、そのほかに、もっと残せるものがあるのではないでしょうか。

60代でぜひ考えていただきたいのは、あなたが生きた証は何なのかということです。

私は拙著『50代にしておきたい17のこと』で、次のように書きました。

「幸せな人は、自分が何のために生まれてきたのか、自分なりの答えをもっている人が多いように思います。自分が生まれた意味を理解して、それに沿って生きることで心からの喜びを手に入れているのです。

偉人伝に載るような人物にならなくても、自分がこの地球に生まれて何かをのこせたと思えるなら、それはあなたに、どれほど大きな充実感を与えてくれるかわかりません。

あなたは自分が生きた証として、何をのこしますか？」

同じ問いかけを、60代のあなたにも投げてみたいと思います。

あと10年後か20年後、あなたがこの世界を去るときに、残したいものとは何でしょうか。

それは知恵でしょうか、それとも何かの建物だったり、作品だったり、あるいは、何かあなたのことを思い出させるような品であったりするのでしょうか。

あなたが生きた証が何なのか、いまのうちから考えておいてください。

16 子どもや若い人に投資する

投資にはいろんな方法がありますが、「未来に投資する」という方法があります。

将来、人の役に立ったり、誰かに喜ばれたりするようなものに投資することです。欧米のお金持ちだと、図書館をつくったり、病院を建てたりして、市や町に寄付する人がいます。また、もっと小さなものだと、自分の蔵書を寄贈したり、公園にベンチを寄付したりということもあります。

ごく身近で考えると、未来への投資は、あなたの子どもや孫、あるいは、若い人に投資することかもしれません。

昔は才能のある若い人に投資をして、勉強させたり、留学させたり、商売を始めさせたりということがよくありました。

最近ではそういった縦のつながりがなくなって、誰かに援助してもらって、商売をスタートするというようなことは少なくなりました。

けれども、若い人を育てる楽しみというのは、老人にとっての特権です。昔のように、大学の学費と生活費を全部出してあげるというと、大変な金額になりますが、1回分の海外旅行の旅費を出すぐらいならできそうです。

また、本や、講演会、コンサート、セミナーなどのチケットをプレゼントしてあげるのも素敵です。

食事をご馳走してあげて、相談にのってあげるのも、立派な投資です。それによって、その人が未来に希望をもてるようになったとしたら、あなたはすばらしい貢献をしたことになります。

あなたにとっては、ちょっとしたことでも、学生や若い人にとっては、人生を変えるような体験になるかもしれません。

16

人の笑顔に投資する

日本一の個人投資家である竹田和平《たけだわへい》さんにお会いしたときのことです。彼は、すばらしいと思う人に、純金のメダルをプレゼントすると聞きました。実際に、その場で、私にも金貨をプレゼントしてくださいました。

竹田さんは、町中で出会った人でも、この人は素敵だという人に普通にプレゼントするそうです。

たとえば、笑顔が魅力的な人がいたら、その人に金メダルをあげます。一緒にいた人が、「なぜ、そんな高価なものを何の見返りもないのに、プレゼントするんですか？」と聞きました。

すると、

「笑顔がいいと言って、金メダルをもらったら、その人は、うれしいし、自信もつがね。その人は、一生自分の笑顔に自信をもつと、ずっと笑顔でいる。その人の一生分の笑顔を金メダルで買えたら、そんなに効率のええ投資はないがね」

と名古屋弁で言って、ニコニコ笑ったというのです。

自分に見返りがあるわけではないのに、誰かを笑顔にするために、金メダルを授与《じゅよ》してしまう「旦那」の生き方にしびれました。

その後、竹田さんのところには足しげく通い、メンターとして、いろんなことを教えてもらうようになりました。

そんな縁で、こんどは私が竹田さんから、純金のピンバッジをたくさん預かることになりました。

「健さんのまわりには、すばらしいお仕事をしている若い人たちがたくさんいるでしょう。そういう人たちをぜひ表彰してもらいたい。自分で渡しにいけないから、健さんから渡してほしい。人選は任せるので、この人はいい仕事をしていると思ったら、差し上げてください」

自分には荷が重いと思いましたが、有難いお役目だと思って、金のバッジをお預かりしました。

それ以来、「この人は！」という人に、竹田和平さんの名代《みょうだい》としてプレゼントしてきましたが、みんな大感激です。その後、もっと社会のためにすばらしい仕事をしようと心を新たにしたと語ってくれました。

それだけ、金バッジには威力があるのです。ぜひ、お金持ちの人には、真似していただきたい習慣です。

私も、それを真似て、この人はすばらしいと思う人には、「夢を生きよう」と金字で刻印した特製ペンを差し上げるようにしています。金のメダルに比べて、そこまで高価なものではありませんが、若い人は特に喜んでくれます。

才能のある若者にお金や知恵を授けてあげるのは、あなたの生きた証にもつながる楽しい活動です。そういうことは、若い友人をつくることにもつながって、一石三鳥、四鳥になるのではないでしょうか。

16 100年後まで続く何かを残す

未来に投資というと、5年後、10年後、20年後ぐらいのことを考えるかもしれませんが、余裕がある人は、100年後にも残る何かを考えてください。

それはすばらしい環境でしょうか。

社会的なインフラでしょうか。

海外の子どもを援助するということもありでしょう。決して、それはかたちには見えないかもしれませんが、その国のプラスになるはずです。

そういう視点から、あなたができる貢献をぜひやってみてください。あなたがこの社会をよくするために残したいもの、それをいまから考えてみましょう。きっと、それは、あなたに幸福感をも、もたらすことでしょう。

17
愛を伝える

17 これまでに触れた人々の顔を思い出す

あなたは、これまでの人生で、どれくらいの人たちと知り合ってきたか、考えたことがありますか？

小学校から始まって、学生時代、社会人になってからいままで、膨大な数の人と知り合ったはずです。

クラブ活動や同級生、同僚、取引先など、名前と顔が一致するだけでも、数百人はいるでしょう。何十年前の友人の名前をいまは思い出せないかもしれませんが、当時は毎日呼んでいたはずです。

逆から見ると、あなたの顔と名前を覚えてくれている人は、この世界でどれくらいの人数いると思いますか？

いまは、音信不通になった人々の顔、いまでもつき合いが続いている親友の顔など、いろんな人の顔が思い浮かぶでしょう。

その数を数えていくと、あなたが六十数年生きてきたなかで、たくさんの人と知り合ってきたことに、ちょっと驚きを覚えるかもしれません。

たとえば、小学校の同級生。彼らは、あなたが小学校時代をどう生きてきたかという証人です。あなたのあだ名、勉強ができたかどうかなどを覚えています。先生のあだ名なんかも覚えているかもしれません。

同じように、あなたの学生時代はどうだったか、社会人になってからの働きぶりなどは、それぞれの時代に身近にいた人が見てきました。

彼らは、あなたの人生を、その時期見守ってくれた生き証人なのです。彼らとの人間関係があったから、いまこうしてあなたは存在しています。

あなたを支えてくれた友人、知人、仕事関係者の顔を思い出しましょう。

そして、彼らとのやりとりで人生ができていたということにも気づきましょう。すると、そこから、静かな感謝がわいてくると思います。

17

自分を取り巻く愛に気づく

若いときには、お金や仕事、恋愛、出世や社会的地位――これらが手に入っていることが、人生で大切なことだと思っていた人は多いでしょう。

でも、60代になってみると、そんなことよりも、自分と自分の大切な人との人間関係こそが大事なものだと気がつくのではないでしょうか。

冷静に見渡してみると、あなたのまわりには、ふだん見逃しがちなたくさんの愛や友情があります。あなたが思っている以上に、あなたのことを大切に感じている人は、まわりにいるのです。

自分には、大事な人がいる、そのことをもう一度再確認しましょう。

それに気づいて感謝できると、あなたの人生には深い平安が訪れます。

17 愛する人に感謝を伝える

六十数年生きてきたあなたにとって、人生とはどういうものでしょうか？

現在、幸せな人は、人生はすばらしいと考えているでしょうし、いま苦しい人は、人生とは苦しみである、あるいは、人生とは悲しみであると答えるのではないでしょうか。

これまでの体験がそのまま、あなたの人生観につながります。人生とはどういうものであってほしいか、それを考えてみましょう。

60代は別れの時期でもあります。自分の親がまだ生きている人も、いつ亡くなるかわかりません。60代も後半になってくると、親戚、先輩、友人が、毎月のように亡くなっていきます。

そして、ごく身近な人やパートナーにも、突然、死が訪れるかもしれないのが60代です。自分だって、どうなるかわかりません。

パートナーと結婚してから30年、40年の人も多いと思います。

それだけ結婚生活が長くなると、お互いに愛を伝えたり、感謝を伝えるのが照れくさくなってしまったり、そんなことは当然のことだから言葉にする必要はないと思っているかもしれません。

けれども、うまくいっているカップルは、「ありがとう」や「愛している」という言葉が、たくさん通い合っています。

もしも、あなたが幸せな60代、70代を過ごしたいと思うのだったら、いまからパートナーに愛や感謝を伝えておくことです。

パートナーに文句とイライラをぶつけると、それがあなたに間違いなく返ってきます。

愛と感謝を伝えたら、きっと、向こうも、恥ずかしがりながら、あなたにも愛と感謝を返してくれるはずです。

兄弟姉妹、友人たちにもふだん伝えていない感謝を伝えましょう。

この年になると、友人が急に亡くなることもしばしばです。水くさい人はガンになっても、それを言ってくることもなく、一人旅立っていくこともあります。ひさしぶりに連絡したら、奥さんから、半年前に亡くなったことを聞いて愕然《がくぜん》とした、という体験をする人もいます。

兄弟姉妹に愛や感謝を伝えることは、照れくさいかもしれません。でも、会うたびに、それをやっておかないと、後悔することになります。

毎回、誰かと会うときは、最後は感謝で締めくくりましょう。最後の会話が、ネガティブなことだったり、ケンカだったりすると、その人が急に亡くなるような場合には、なんとも言えない後味の悪いものが残ります。それは、あたかもお金を借りたけど、返す相手がいなくなる、そんな気分です。

相手がある程度の年齢なら、「これが最後かもしれない」くらいの気持ちでいると、たとえ、その人と会えなくなっても後悔は残りません。

17 自分を愛する、世界を愛する

人生詰まるところは、「いかに愛して、愛されるか」というところに最終的に帰着《きちゃく》すると思います。

60代というのは、自分の死についても考えさせられる年代ですから、ときには絶望感を味わうこともあるでしょう。

「自分の人生は何だったんだろう。仕事もたいしたことはできなかった。お金もそんなに稼げなかったし、貯《た》まらなかった。家族ともあまりうまくいっていない」

と感じる人が大半なのです。

しかし、人生の目的、幸せは、何かを達成すること、富を築くこと、社会的に成功することだけではありません。

いま、家族とぎくしゃくしていても、その関係を変えることはできます。自分から心を開いて謝ったり、愛情を示したりすることで、家族との関係は劇的に変わります。

自分から愛を伝えることは、幸せをつかむラストチャンスです。

自分が何を愛しているのか、誰を愛しているのか、どう愛しているのか、ということを伝えられた人は、たとえお金や社会的地位がなかったり、仕事で達成感や満足感を得ることがなかったとしても、幸せを感じることができます。

若いときにはよく見えなかったのに、60代になって、はっきり見えてくるものがあります。

それは、この人生では、「あなたが提供したものが、あなたに返ってくる」ということです。

あなたが喜びや幸せを分かち合って生きてきたとしたら、あなたの人生は喜びと幸せに満たされているでしょう。これまでにイライラと怖れで生きてきた人は、この世界のなかにイライラと怖れを見るでしょう。

あなたが自分自身を愛して、世界を愛することができたとしたら、世界もあなたを愛してくれるでしょう。

いま、あなたは人生の最終章の始まりにいます。これから自分の人生の最後に向かうにあたって、どう生きるのか、もう一度再選択するチャンスを手にしているといえるでしょう。

これまで、常識的に生きてきた人は、それをひっくり返すことができます。いままで忙しくて自分や家族を置き去りにしてきた人は、自分や家族と向き合うことができます。

人生の中間決算にあたり、これからやってみたいこと、やらなくていいことを整理してください。

人生を終えるとき、「本当にすばらしい人生だった」ということを自分に言えるかどうか、それを基準としてください。

おわりに

後悔しない生き方を選択する

最後まで読んでくださって、ありがとうございました。

本書を読んだあと、「さぁ、これからの人生が楽しみになってきた。何をやろうかなぁ」と思っていただければ、著者として、たいへんうれしいです。

本書を執筆するにあたって、たくさんの60代の方にいろんな角度で質問をぶつけてみました。すると、本当に面白い答えが返ってきました。

20代であれば、返ってくる答えは、だいたい似ています。60代になると、その人の生き様によって、まったく答えが違ってきます。その多様性が人生そのものだと感じました。逆にいうと、どんな人生もありで、その人が生きたいような人生を生きればいいのだと思います。

書き終えて思うことは、いまの「60代」は、なかなかアグレッシブで、「老年」などという言葉とは程遠い人たちなのかもしれません。

このシリーズでは、それぞれの年代で、どう生きるべきかを見てきたわけですが、もっとも個性的でパワフルだったのが、この60代だったような気がします。60代という、人生の最終章の始まりのときに、できることは何か。やりたいことは何か。それをじっくり考えていただきたいと思います。

これからどう生きるか、それは一人ひとりが決めることです。

長い人だと、まだこれから20年以上の時間があります。

その時間をどう充実させ、楽しいものにするのか、ワクワクして考えていただけたらと思います。

本書があなたの人生をよりすばらしいものにするサポートのきっかけになれば、本書の本望を果たせたように思います。

本田　健

２０１２年10月

本田 健（ほんだ・けん）
神戸生まれ。経営コンサルティング会社、ベンチャーキャピタル会社など、複数の会社を経営する「お金の専門家」。独自の経営アドバイスで、いままでに多くのベンチャービジネスの成功者を育ててきた。育児セミリタイア中に書いた小冊子「幸せな小金持ちへの8つのステップ」は、世界中130万人を超える人々に読まれている。『ユダヤ人大富豪の教え』をはじめとする著書はすべてベストセラーで、その部数は累計で500万部を突破し、世界中の言語に翻訳されつつある。
本田健公式サイト
http://www.aiueoffice.com/

だいわ文庫

60代《だい》にしておきたい17のこと

著者　本田《ほんだ》 健《けん》

二〇一二年一〇月一五日第一刷発行

発行者　佐藤 靖
発行所　大和《だいわ》書房
東京都文京区関口一－三三－四 〒一一二－〇〇一四
電話 〇三－三二〇三－四五一一
装幀者　鈴木成一デザイン室
本文デザイン　椿屋事務所
編集協力　ウーマンウエーブ
本文印刷　シナノ
カバー印刷　山一印刷
製本　ナショナル製本
ISBN978-4-479-30406-7
乱丁本・落丁本はお取り替えいたします。
http://www.daiwashobo.co.jp

だいわ文庫の好評既刊

*本田健	10代にしておきたい17のこと	人生の原点は10代にある！　20代、30代、40代の人にも読んでほしい、人生にもっとも必要な17のこと。	600円 8-9 G
*本田健	20代にしておきたい17のこと	『ユダヤ人大富豪の教え』の著者が教える、20代にしておきたい大切なこと。これからの人生を豊かに、幸せに生きるための指南書。	600円 8-6 G
*本田健	20代にしておきたい17のこと〈恋愛編〉	男女ともに20代で一番悩むのが「恋愛」のこと。ベストセラー作家が教える、後悔しない「恋愛」の17のルールとは。	600円 8-12 D
*本田健	30代にしておきたい17のこと	30代は人生を変えるラストチャンス！　ベストセラー『ユダヤ人大富豪の教え』の著者が教える、30代にしておきたい17のこととは。	600円 8-8 G
*本田健	40代にしておきたい17のこと	40代は後半の人生の、フレッシュ・スタートを切れる10年です。『20代にしておきたい17のこと』シリーズの4弾目。	600円 8-11 G
*本田健	50代にしておきたい17のこと	人生の後半戦は、50代をどう過ごすのかで決まる。進んできた道を後悔することなく、第二の人生を謳歌するためにしておきたいこと。	600円 8-13 G

*印は書き下ろし

定価は税込み（5%）です。定価は変更することがあります。